Une petite fin du monde

Laurent-Michel Vacher

Une petite fin du monde
Carnet devant la mort

suivi de
Fragments autobiographiques

Liber

Les éditions Liber reçoivent des subventions du Conseil des arts du Canada, du ministère du Patrimoine canadien (PADIE), de la SODEC (programme d'aide à l'édition et programme d'aide à l'exportation) et participent au programme de crédit d'impôt-Gestion SODEC pour l'édition de livres du gouvernement du Québec.

Photo de la couverture : Alain Décarie

Dépôt légal : 3ᵉ trimestre 2005
Bibliothèque nationale du Québec

« Et in Arcadia ego »

Pour Christiane

Je viens je ne sais d'où ;
Je suis je ne sais qui ;
Je meurs je ne sais quand ;
Je m'étonne d'être si joyeux.

MARTINUS VON BIBERACH

PRÉFACE

Laurent-Michel Vacher est mort le 8 juillet 2005 à l'âge de soixante et un ans. Je l'ai connu au début des années 1970, au moment de mes études au collège Ahuntsic. C'était un des professeurs de philosophie qui m'ont enseigné, puis, quelques années plus tard, j'ai très brièvement été son collègue. Plus tard encore, quand j'ai eu mis sur pied une maison d'édition, celle-ci, j'ai publié ses travaux. Le plus important sans doute est que nous avons l'un et l'autre été soudés à Jean Papineau, à qui Michel Vacher a consacré un livre, Dialogues en ruine, *lorsqu'il nous a quittés, au milieu des années 1990. Dans la préface de ce petit livre, j'essayais de situer les personnages, Jean en particulier, que je présentais comme un «intellectuel qui n'a* pas écrit ». J'aurais pu le définir également comme un philosophe « de proximité », en ce sens que sa pensée et sa façon de l'exprimer résistaient aux codes et aux techniques de l'amplification et du relais. Michel Vacher a été en revanche un intellectuel relativement prolifique et engagé, il avait la parole publique, orale ou écrite, plus naturelle — mais je ne dis pas ça pour suggérer, à travers l'image de l'attraction des contraires, une éventuelle clé de leur merveilleuse entente.

Ces deux hommes étaient des amis. Ils étaient mes amis. L'un est parti, maintenant l'autre.

Une dizaine de jours avant sa mort, il me remit la disquette sur laquelle il y avait les textes publiés ici en me disant « Tiens, je crois bien que je n'y toucherai plus ». Il était debout, en robe de chambre, et son geste me coupa littéralement la voix. Je baissai les yeux. À l'été 2004, le tout dernier jour d'un voyage en Italie qu'il faisait avec sa compagne Christiane Bouchard et quelques amis, il dut se rendre à l'hôpital San Giacomo de Rome où on diagnostiqua des métastases hépatiques. La chose fut confirmée à son retour au pays. Il entreprit peu de temps après la rédaction de son carnet. Et c'est à l'automne 2004 que, pour la première fois, le médecin évoqua une échéance, six mois, un an — s'il arrive qu'elle se trompe, en général la médecine ne balance pas ses pronostics à la légère. Comme à d'autres proches, il me faisait lire des états de son texte au fur et à mesure tout en continuant à y travailler. Puis, un beau jour, la réalité s'imposa que les retouches qu'il y apportait, de moins en moins il est vrai depuis quelque temps, avaient de toute évidence pris fin. Ses forces déclinaient, il n'en ferait plus. La dernière réflexion de ce carnet dit : « Cette fois-ci, à moins que je ne mette fin à mes jours, ce n'est pas l'auteur qui va interrompre son manuscrit : c'est la maladie qui en décidera à sa place. Heureusement, on dirait bien qu'en somme juste assez de temps m'aura été accordé pour arriver, à peu de choses près, au terme de ce que je pouvais envisager d'écrire dans les circonstances où je me trouvais placé lorsque j'ai commencé. Peut-on dire "merci" au cours hasardeux des choses ? »

La maladie lui avait déjà envoyé une semonce trois ans auparavant : un angiosarcome sur la joue droite dont il avait été opéré et qui l'avait laissé défiguré. Au cours de sa convalescence, il avait entrepris et mené à bien la traduction du livre de Mario Bunge, Matérialisme et humanisme, qui paraîtra au début de 2004. Un jour il me dit que ce travail l'avait gardé en vie. Mais ce n'est pas la seule activité à laquelle il se consacrera entre sa première opération et son décès, sans compter les innombrables et déprimants séjours qu'il devait régulièrement faire à l'hôpital. Il y a d'ailleurs vers la fin du carnet un passage déchirant sur ce que tout cela — l'état lamentable de la relation du médecin avec des êtres diminués, souffrants, effondrés — a constitué comme expérience éprouvante, humiliante, témoignage d'autant plus bouleversant qu'il vient de quelqu'un qui avait toujours eu la plus grande reconnaissance pour les médecins et qui a toujours fait preuve de soumission et de confiance à l'égard de ceux qui sont supposés savoir et savoir quoi faire. Ce va-et-vient l'épuisait et l'angoissait bien sûr, mais chaque fois il ne se remettait pas moins au travail avec sa lucidité, son intelligence et son humour habituels, comme si de toute façon c'est ce qu'il y avait de mieux à faire. Peu de temps après la parution de la traduction de Bunge, il publiera donc son étude sur le fascisme de Nietzsche (Le crépuscule d'une idole), puis, au début de 2005, les entretiens qu'il avait eus avec les frères Holder, propriétaires à divers moments de plusieurs établissements de restauration de Montréal, dont l'aîné, Paul, avait également été son étudiant trente-cinq ans auparavant (Bars, cafés, restos. Scènes de la vie urbaine); parallèlement, à ma demande, nous entretenions par internet une correspondance sur sa vie et son œuvre. On trouvera, dans la deuxième partie du présent ouvrage, « Fragments autobiographiques », les pages les plus achevées de cet échange, dont il a supprimé les questions initiales, échelles que nous jugions désormais inutiles.

En ce qui concerne la dernière section de ce livre, à laquelle j'ai donné pour titre celui par lequel Michel Vacher désignait depuis plusieurs années le projet correspondant, «Mon vingtième siècle», il s'agit d'un simple répertoire chronologique d'œuvres, musicales, plastiques, littéraires, qui ne forment que les matériaux bruts qu'il entendait utiliser. Ce qu'il voulait en dire reste pour moi fort vague, car nous n'avons jamais abordé la question entre nous au-delà du simple libellé du projet. Certes, dans les «Fragments autobiographiques», il expose rapidement son point de vue sur l'art en général, mais ce qu'il avait l'intention de tirer des œuvres elles-mêmes, celles-là en particulier, voilà qui m'échappe complètement. Je crois, cela dit, que, vraisemblablement, son intention était de renouer avec le Pamphlet sur la situation des arts au Québec, en prenant cependant les choses du point de vue positif, réussi, exemplaire. On se souvient en effet que le Pamphlet était au contraire une dénonciation des illusions auxquelles succombaient facilement artistes et critiques et un appel à la clairvoyance et au travail. «Artistes du Québec, encore un effort…», c'est ainsi que commençait le livre.

Ce répertoire me fascine pour deux raisons. La première est qu'il révèle la vaste étendue des connaissances de Michel Vacher en ces matières auxquelles ceux qui ne connaissaient que ses prises de position politiques et son scientisme le soupçonnaient d'être complètement étanche. La deuxième, et ici la remarque ne vaut peut-être que pour moi, concerne le choix même des œuvres. Qu'il suffise de dire à cet égard, en exagérant volontairement le trait, que ses préférences musicales en particulier m'ont toujours laissé absolument froid. À un moment, il avait d'ailleurs envisagé, non pas de faire mon éducation, mais de m'aider à former mon oreille à la musique du vingtième siècle. Aussi il m'avait préparé une quinzaine de cassettes contenant une série d'œuvres et d'extraits d'œuvres en manière d'anthologie introductive. Ma sensibilité ne progressa pas d'un iota, mais j'eus ainsi à portée de la main des exemples concrets de ce qui m'irritait. Il finit par comprendre que mon cas était désespéré et cela l'amusait. Je dirais que lui, en revanche, était, ici comme ailleurs, tout à fait un homme de son temps, parfaitement à l'aise avec le présent et avec le monde qui était le sien, sans nostalgie, sans regrets, sans utopies contre-factuelles, autant curieux et ouvert que confiant dans les vertus de l'examen rationnel de la réalité.

Au moment même où il n'arrivait plus à s'agripper à la vie et que finalement il renonçait à tout ça, je travaillais sur un livre que Jean Bédard consacre au grand humaniste tchèque Comenius. Il y a dans ce texte un passage où il est question du bonheur. Les termes par lesquels Jean Bédard résume la conception qu'en avait Comenius m'ont paru d'une renversante justesse pour décrire ce que mon grand ami avait, me semble-t-il, toujours pratiqué : « une pensée lucide, la création d'une œuvre et la jouissance du quotidien ». Je ne sais pas si c'est bien ainsi qu'il faut définir le bonheur, mais si tel est le cas alors j'atteste, et tous ceux qui l'ont personnellement connu en feront de même, que Michel Vacher a été un homme heureux. Pour ceux qui n'ont accès qu'à ses publications, je crois qu'ils en trouveront suffisamment d'indications dans l'ensemble de ses livres et encore dans celui-ci. En voici une : « Il ne fait aucun doute dans ma tête qu'être prof de philo dans un collège de Montréal a représenté pour moi une chance inouïe. Je ne peux pas m'imaginer un milieu plus propice. J'y suis redevable de tant de choses que je n'en reviens pas. Le contact sans cesse renouvelé avec des jeunes m'a été une source constante de stimulation. J'ai eu un groupe de collègues et amis qui m'a discrètement mais efficacement aidé, toléré, soutenu, nourri et encouragé. L'insti-tution m'a accordé une liberté sans bornes. La vie syndicale m'a enrichi d'expériences qui m'ont été très utiles et m'ont éclairé à plus d'un égard. Et ainsi de suite. [...] J'ai effectivement eu toutes ces chances et je ne peux pas, honnêtement, dire le contraire. [...] Je ne m'en vante pas, je soutiens plutôt que ça ne dépendait guère de moi. J'en ressens simplement une sorte de révérence craintive et de reconnaissance émue. J'oserai dire que cette gratitude envers la vie est sans doute, chez le mécréant résolu que je suis, ce qui s'apparenterait le plus à une sorte de sentiment presque religieux. »

Il était arrivé au Canada en 1966 et il s'était naturellement laissé intégrer, en même temps qu'au cadre professionnel, au milieu culturel de l'époque, grâce à Patrick Straram notamment, avec la docilité confiante et inventive, avec l'optimisme et le plaisir de faire qui lui ont toujours été propres. Il s'est ainsi trouvé à collaborer au Devoir *et à* Hobo-Québec, *à commenter l'art et le cinéma, à faire des entretiens avec les grands noms d'alors, Barthes, Borges, Paulhan, par exemple. Il a été des fondateurs de* Chroniques, *au milieu des années 1970, puis de* Spirale, *où il a été un animateur craint sans doute autant qu'admiré. Car il avait la polémique facile, le sens critique affûté et la culture fort étendue, et il détestait par-dessus tout la paresse, intellectuelle pour commencer.*

Il se définissait lui-même comme un essayiste plutôt que comme un philosophe — à moins de préciser : au sens de ce qu'on appelait ainsi au dix-huitième siècle français —, sans doute par respect pour ceux qui avaient vraiment fait preuve de création de concepts et de systèmes de pensée, mais aussi pour ne pas être enrôlé dans le camp de ceux qui se payaient de mots pour parler de choses absconses et fantaisistes. C'est contre eux qu'il a écrit Pour un matérialisme vulgaire *puis, sur le versant positif des mêmes thèses (matérialistes),* L'empire du moderne, *où il faisait l'éloge de la philosophie américaine en ce qu'elle avait su rester en contact avec le réel, et encore* Histoire d'idées, La passion du réel *ou* La science par ceux qui la font, *où il fait tant de place à la science et aux scientifiques, toujours en ce qu'ils doivent se soumettre à l'épreuve de la réalité selon les méthodes de vérification au fur et à mesure mises au point, testées, acceptées et au besoin modifiées. La philosophie, si telle est bien, tout de même, l'activité principale à laquelle il s'est livré, devait être pour lui la sœur de la science faute de quoi elle était condamnée à n'être qu'un exercice de style artificiel.*

Je ne suis pas autorisé outre mesure à évaluer la teneur spéculative de ses positions, ni à en dégager des conséquences pratiques ou morales — et ce n'est d'ailleurs pas ici le lieu de le tenter. Je l'ai dit, ce n'était pas un philosophe systématique. Aussi, il n'y a peut-être même pas de raison finalement de se livrer à ce genre d'exercice. D'ailleurs, s'il m'entendait suggérer de pareilles sottises, il m'assassinerait du rire. J'espère pourtant que ses analyses, ses critiques et ses réflexions continueront de nourrir la discussion et le débat d'idées, qu'elles pourront servir de source d'inspiration pour des travaux ultérieurs et que sa pensée fera partie intégrante de la tradition philosophique du Québec. Je ne fais que traduire là, me semble-t-il, ce que, sur le mode privé, il formule lui-même dans son carnet : « Que me reste-t-il à attendre des personnes qui me sont chères ? Outre un accompagnement discret mais bienveillant dans les étapes qui me restent à franchir vers la mort, je dirais surtout : des signes me permettant d'espérer que les principes et les idéaux que nous avons en commun vont continuer de leur tenir à cœur et qu'elles vont s'activer de leur mieux pour les promouvoir après mon départ. Car il est précieux pour moi de sentir que la vie va se poursuivre dans la direction que j'aurais souhaitée. Illusion ? Il se peut. »

Oui, illusion peut-être, car les choses n'en font souvent qu'à leur tête. Mais n'est-ce pas là justement une raison supplémentaire de garder vivants ces principes et ces idéaux, de les défendre et de les relayer ? J'espère que ces derniers textes de Laurent-Michel Vacher aideront à s'en convaincre.

GIOVANNI CALABRESE

Une petite fin du monde
Carnet devant la mort

Certes d'autres ont péri, mais c'est dans le passé,
Saison (comme chacun sait) très propice à la mort.
Moi par contre, qui suis sujet de Yaqub al-Mansour,
Se peut-il que je meure ainsi qu'ont dû mourir
Aristote et les roses ?

JORGE LUIS BORGES

On pourrait s'imaginer qu'à l'annonce de sa fin prochaine, un artiste, un chercheur, un compositeur ou un auteur ait un sursaut de créativité et se projette vers des sommets jusqu'alors inégalés, tellement il serait désireux de donner le meilleur de lui-même avant qu'il ne soit trop tard.

Mais en général, il n'en sera rien, car dans la plupart des cas, par malheur, il est *déjà* trop tard.

Miné par la maladie, affaibli par une opération, diminué par la souffrance, affecté par tel ou tel médicament, sollicité par divers soins et traitements, hanté par l'angoisse, prématurément vieilli et usé, il se retrouve, devant la perspective de sa mort, non pas plus grand que jamais, mais bien plus petit.

Au pis, il ne créera plus ; au mieux, il ne produira sans doute que des travaux mineurs, risquant par surcroît (comme le présent carnet) de demeurer inachevés.

Le plus souvent, quoi qu'il fasse, l'aiguillon de la mort ne le servira guère.

Sentiment d'urgence. Menaces de destruction, de dissolution. Période de la reddition des comptes et du dépôt de bilan. On est loin de l'innovation, de la création, de l'invention. Ambiance de fermeture et de liquidation. Mettre nos affaires en ordre. Testament, arrangements funéraires, liste de démarches à accomplir après un décès, etc.

Pourtant, dans ce pauvre restant d'existence fébrile et amoindri, déjà sérieusement hypothéqué par la maladie, chaque jour est vécu aussi pleinement que n'importe quel autre jour d'un passé plus prospère, chaque activité accomplie est un acquis incontestable (ces pages elles-mêmes, par exemple), chaque bonheur conserve tout son prix.

La vie, même diminuée et condamnée, est encore la vie.

Alors que les vivants «normaux» tendent à remplir au mieux leur temps, les mourants en sont fréquemment réduits à tuer le temps (jouer aux cartes, au scrabble, etc.). Sans doute est-ce faute de pouvoir former et poursuivre de véritables projets. Mais c'est aussi une preuve qu'ils ne sont pas morts: jouer est une activité.

Ne pas oublier ceci: généralement, le présent de celui qui sait qu'il va mourir n'est pas tant occupé par la pensée de la mort que par les soucis dus aux ravages d'une maladie bien réelle et actuelle, qui le diminue, le ronge et le détruit au jour le jour.

Son lot est la perte progressive de sa vitalité, de ses motivations, de ses désirs, de ses moyens physiques et parfois mentaux.

La douleur n'en est pas la seule cause possible. Pour ma part, j'ai connu une forme croissante d'épuisement, d'égarement, d'abrutissement ou d'hébétude, consécutive au surgissement incessant de divers symptômes inattendus et angoissants (cardiaques, oculaires et visuels, digestifs, musculaires, circulatoires, etc.), sans parler des effets secondaires de divers médicaments.

La mort est précédée le plus souvent d'un cortège de misères assez pénibles qui, inévitablement, risquent d'affecter l'attitude du sujet à son égard, allant dans certains cas jusqu'à la lui faire désirer, ne serait-ce que par intermittence.

En général, le patient qui voit la mort approcher est donc loin d'être dans son état normal et ne jouit pas pleinement de toutes ses facultés ou aptitudes.

Il n'est pas tout à fait faux de prétendre que, devant la mort, on saisit parfois un peu mieux à quel point toute réalité humaine est précieuse, fragile et incertaine.

Souvent, les philosophes affirment même que la mort serait le grand révélateur qui remettrait les pendules à l'heure, nous ramenant à l'essentiel, nous révélant le sérieux de l'existence, nous rappelant la véritable valeur des choses importantes de la vie, nous plongeant même dans une sorte de révérence envers la magie énigmatique de ce qu'on se risque parfois à nommer, non sans imprudence ni ambiguïté, l'«éternel présent[1]».

Il se peut qu'il en soit ainsi dans certains cas. Mais rien n'est moins sûr. Sinon, pourquoi des malades en phase terminale, y compris moi-même, feraient-ils des réussites et des jeux de patience, ou regarderaient-ils la télévision, au lieu (comme le voudraient quelques penseurs qui idéalisent tout) de répandre la vérité, l'amour, la joie de vivre, la justice et la charité?

Je trouve que la mort a bon dos. Comme elle est la grande muette, on peut lui faire dire tout ce qu'on veut.

Prenez, une à une, toutes les attitudes ou valeurs qui vous paraissent, par exemple pour des motifs philosophiques ou religieux, être les meilleures et les plus précieuses. Affirmez ensuite qu'une juste méditation de la mort contribuerait à nous les faire mieux apprécier et chérir.

Racontez alors l'anecdote de tel mourant qui regrettait de ne pas avoir suffisamment cultivé telle attitude ou servi telle valeur puis, pour faire bonne mesure, l'histoire d'un autre mourant qui en a découvert tout le prix au seuil du trépas.

Recette facile, succès rhétorique garanti[2].

Que vous souhaitiez promouvoir la liberté et l'esprit d'aventure ou, au contraire, la sagesse et une adhésion respectueuse à l'ordre du monde — sans même parler de l'union mystique avec la divinité ou d'un retour sur nos «vies antérieures» —, une telle approche pourra parfaitement fonctionner.

Mais dans tout cela, où réside la part de la vérité? Elle semble bien occultée.

En pratique, celui qui convoque ainsi la mort à la barre des témoins n'est le plus souvent qu'une sorte de ventriloque manipulant à son gré une marionnette sans âme. La mort finit ainsi par apporter une sorte de caution, solennelle mais creuse, à tout et à son contraire.

J'espère échapper à ce piège, mais je suis loin d'en être sûr.

Que me reste-t-il à attendre des personnes qui me sont chères? Outre un accompagnement discret mais bienveillant dans les étapes qui me restent à franchir vers la mort, je dirais surtout: des signes me permettant d'espérer que les principes et les idéaux que nous avons en commun vont continuer de leur tenir à cœur et qu'elles vont s'activer de leur mieux pour les promouvoir après mon départ. Car il est précieux pour moi de sentir que la vie va se poursuivre dans la direction que j'aurais souhaitée.

Illusion? Il se peut.

Si mon souvenir, passablement vague, est encore bon, le meilleur livre de philosophie que j'aie lu sur le sujet est celui de Vladimir Jankélévitch, intitulé simplement *La mort* (Paris, Flammarion, 1966). Pourquoi n'ai-je à présent aucune envie de le relire?

Je me rappelle, en tout cas, l'une de ses principales conclusions: que la mort ne saurait abolir le fait, à jamais irréversible, que ce qui a été vécu *ait été vécu*. Il écrivait ainsi: «Le fait d'avoir été est inaliénable. [...] Ce qui a été ne peut pas ne pas avoir été[3].»

Mais Claude Lévi-Strauss lui répondait, à la dernière page de *L'homme nu* (Paris, Plon, 1971), qu'«il incombe à l'homme de vivre et lutter, penser et croire, garder surtout courage, sans que jamais le quitte la certitude adverse qu'il n'était pas présent autrefois sur la terre et qu'il ne le sera pas toujours, et qu'avec sa disparition inéluctable de la surface d'une planète elle aussi vouée à la mort, ses labeurs, ses peines, ses joies, ses espoirs et ses œuvres deviendront comme s'ils n'avaient pas existé, nulle conscience n'étant plus là pour préserver fût-ce le souvenir de ces mouvements éphémères sauf, par quelques traits vite effacés d'un monde au visage désormais impassible, le constat abrogé qu'ils eurent lieu, c'est-à-dire rien.»

Une distinction introduite par Jankélévitch est quasiment devenue classique, celle qui concerne la différence entre la mort en première personne (ma mort), en deuxième personne (la mort de nos proches) et en troisième personne (la mort des inconnus en général).

Il me semble étrange que cette idée d'un continuum allant du général à l'individuel en passant par les cercles plus ou moins rapprochés de l'intimité ou de la société ambiante ne soit pas plus classique encore: en effet, nos conceptions de *toute chose* ne devraient-elles pas être envisagées comme résultant toujours d'une synthèse ou d'une composition (en proportions variables) de ces divers points de vue, approches, perspectives ou dimensions?

Que ce soit en métaphysique, en épistémologie, en éthique, la vérité ne pourrait-elle se reconnaître (entre autres) à ceci qu'elle convient à la fois au «je», au «tu», au «nous» et au «il(s)»?

L'une des tentations qu'éveille l'approche de la fin, c'est celle de l'admonestation apocalyptique, de la prophétie hypercritique.

Mon petit monde personnel va disparaître, mais attention, *le monde entier* risque fort de finir lui aussi! Et commence la litanie…

La mondialisation capitaliste est une gangrène; la famille petite-bourgeoise est un étouffoir à désirs; les religions sont des fanatismes mortifères; les vraies valeurs de l'amour, de la liberté, de la créativité et de l'imagination sont sans cesse plus négligées et bafouées; les inégalités et les injustices sociales nous condamnent à une violence aveugle mais inévitable, compréhensible ou justifiée; le triomphe de la technologie et de la raison instrumentale ont irrémédiablement avili l'âme humaine; la culture occidentale de la modernité tardive est au bord du gouffre, rongée par la consommation effrénée et son vide, par la destruction de l'environnement et les menaces qu'elle fait peser sur toute vie terrestre, par les impasses d'une démocratie sclérosée et d'une économie affolée, par l'exploitation éhontée d'un tiers-monde qui tôt ou tard va se retourner contre elle, par une course aux armements qui nous conduit tout droit à l'autodestruction ou à un nouveau totalitarisme inhumain; l'espèce humaine n'est qu'un cancer nuisible dans le cosmos; toute espérance n'est qu'un vain mirage — etc.

«Après moi le déluge!»

Il y a sans aucun doute un peu de vrai dans tout cela, en plus ou moins grande partie, et on ne le niera pas.

Mais la voix de celui qui va mourir aurait-elle une sorte de puissance sacrée, d'autorité ultime? Son jugement gagnerait-il soudain une lucidité sans pareille?

Ne serait-il pas plutôt le jouet d'une illusion? Ne chercherait-il pas, inconsciemment, à adoucir sa *perte de tout* en noircissant tellement ce qu'il va abandonner, que tous ses regrets s'estomperaient et qu'il pourrait dire adieu à la vie avec le cœur moins lourd?

Volens nolens, les mourants feraient souvent des disciples tout naturels du pessimisme nihiliste qu'on trouve exprimé ici ou là chez Schopenhauer, Leopardi, Dostoïevski, Spengler, Pessoa, Beckett, Thomas Bernhard, Cioran ou William Gaddis, entre autres.

Cela leur donne-t-il, le moins du monde, raison?

Et si nous prenions notre mort beaucoup trop au sérieux? Un peu d'humour — noir si nécessaire —, ne nuirait pas à qui réfléchit à sa propre fin.

Celui qui va mourir est le même que celui qui a vécu, avec les mêmes travers, les mêmes forces, le même caractère. Il va sans doute affronter la perspective de sa mort avec d'autant plus de franchise qu'il aura cultivé les vertus de la lucidité dans les étapes antérieures de son existence. Il va essayer de tirer le meilleur parti du peu de temps qui lui reste dans la mesure où il aura toujours tenté d'exploiter au maximum les possibilités que la vie lui offrait.

Face à une mort annoncée, chacun ne peut mobiliser le moment venu que les aptitudes se trouvant en lui, qui sont le fruit de toute son expérience vécue. Dans ces limites, il est essentiel de maintenir nos convictions et nos valeurs face aux difficultés de la fin prochaine, faute de quoi le malaise et la culpabilité risqueraient de s'installer en nous.

Imagine que chaque jour est le dernier qui luit pour toi; tu vivras avec reconnaissance l'heure que tu n'espérais plus.

Horace

Certains aspects posent problème dans le conseil ancestral «vis comme si cette journée devait être ta dernière».

Pour commencer, dès qu'on m'eût convaincu que mes derniers jours approchaient réellement et inéluctablement, il m'est devenu extrêmement difficile d'entretenir sérieusement le moindre projet. Mais que serait une existence humaine sans projets?

C'est là, selon moi, la principale erreur d'Épicure. Si l'on accepte avec lui d'écarter les problèmes rattachés à la mort d'autrui et au chagrin qu'elle nous cause, ses arguments en faveur d'une attitude de détachement face à notre propre trépas sont foncièrement d'une grande justesse. Car il est bien vrai que l'«état» dans lequel nous serons *une fois mort* n'a rien, en lui-même, qui doive susciter notre inquiétude: nous n'existerons plus en tant qu'organisme ni que personne, exactement comme nous n'avons pas existé durant les temps infiniment grands qui ont précédé notre conception et notre naissance, et ce, sans aucunement en souffrir — n'ayant pas même eu alors la simple *possibilité* de souffrir de cette non-existence, du moins si l'on admet l'hypothèse, apparemment assez raisonnable, qu'il faille exister pour souffrir. La thèse fondamentale d'Épicure demeure donc pleinement justifiée: *l'inexistence n'a rien de mauvais et ne saurait nous affecter.*

Pourtant la perspective de disparaître bientôt (non pas *l'état d'être mort* considéré en lui-même, mais ce que sa survenue annoncée ou probable va signifier *relativement à notre état actuel de vivant*) nous tourmente et nous angoisse, ce qui s'explique dans la mesure où le projet, l'intention prospective, les attentes, les désirs, les espoirs, les aspirations, l'orientation vers le futur, la planification de nos diverses tâches ou entreprises, semblent inhérents à toute forme de vie véritablement consciente, active et *humaine* — subjective, personnelle, socialisée, etc.

Alors que la considération actuelle du néant dans lequel j'étais avant ma naissance ne me prive pratiquement de rien vers quoi me porterait un véritable intérêt vital, celle du néant qui me menace dans l'irruption prochaine du mourir *se présente à moi*, encore vivant — c'est-à-dire dans mon présent vécu, normalement orienté à un degré quelconque vers son «à-venir» —, en tant que me privant d'un lendemain auquel ma vie est attachée comme à une composante importante de sa valeur même[5]. Tout malade condamné risque fort de se sentir «interdit d'avenir. Interdit de projet[6].» Le seul futur qu'il puisse se représenter n'est fait que de déclin, de dégradation, de brièveté et de menaces, laissant une place sans cesse plus réduite à sa libre initiative.

En un sens, bien que cette image soit imparfaite, nous sommes un peu comparables à un pilote (de navire, de train, d'avion, etc.): nous regardons vers l'avant et nous ne pouvons ressentir que comme une catastrophe l'annonce d'une fin brutale et imprévue du voyage. Même si, à la réflexion, le sens exact d'une telle pensée est douteux, la tentation n'en est pas moins grande de croire que la mort «nous dérobe une portion d'avenir qui aurait pu être la nôtre».

Soit dit en passant, nul besoin de soutenir, pour comprendre cet aspect de la crainte de mourir, la thèse extrême voulant que l'être humain serait «essentiellement projet». Il suffit que je sois *entre autres* projet, point qui paraît difficile à nier. (Cela ne doit donc pas nous empêcher de reconnaître qu'il peut aussi y avoir des aspects intéressants et riches dans l'inaction, le loisir, le repos, la passivité ou l'oisiveté.)

Par paradoxe, on pourrait aller jusqu'à suggérer qu'au condamné se sachant voué à une fin prochaine il faudrait proposer plutôt la maxime suivante, bien sûr intenable : «Imagine-toi que tes jours ne sont pas comptés, qu'il te reste à vivre un temps assez long et que tu peux encore faire des projets; tu accueilleras alors avec gratitude et optimisme chaque instant de vie qui s'offrira à toi»…

C'est ce que méconnaît la psychologie, peut-être noble et profonde, mais au bout du compte unilatérale et un peu simpliste, d'Épicure.

Bien entendu, je ne prétendrais pas être le premier ni le seul à m'en apercevoir[7].

Aussitôt que mes amis et connaissances ont su que j'étais probablement condamné, j'ai reçu de nombreux témoignages d'affection et d'admiration. Mes défauts semblaient subitement s'être tous évanouis.

Par chance, Untel n'était pas au courant et il écrivit donc un texte assassin au sujet de mon dernier livre, où il flétrissait chez moi la bêtise, la petitesse, la bassesse d'âme, le simplisme, une trompeuse prétention à la clarté, la nullité, l'inculture, les contradictions, l'ignorance, l'inconscience, la médiocrité, la superficialité, l'anti-intellectualisme, le dogmatisme, l'aveuglement et j'en passe — diminuant d'autant les risques que je meure en me leurrant sur mon compte.

Quelqu'un qui me veut du bien me souhaite «de la sérénité et du courage». Le problème, c'est qu'il faudrait n'avoir *que* de la sérénité et du courage.

En toute honnêteté, je crois pouvoir affirmer que j'en ai une certaine dose, variable assurément selon les jours.

Mais je dois avouer aussitôt que j'ai également une bonne dose de peur, de tristesse, de lucidité, de découragement, de résignation passive, et aussi d'humour noir, de repli sur moi, et d'appréhension face à l'inconnu, et encore de désir occasionnel d'en finir au plus vite, ou bien de refus, et de nostalgie de devenir très vieux, de lassitude face à une qualité de vie réduite, de curiosité du lendemain, d'apitoiement sur moi-même, d'épouvante, de panique, sans parler des bouffées de joie de vivre ou d'espoir fou[8], de l'abattement, de l'exaltation, de l'amertume, du vertige, de l'indifférence, de la lâcheté, du désarroi, du chagrin, de l'apaisement, du désir accru d'une présence d'autrui, du désespoir, de la révolte et ainsi de suite.

Face à l'accumulation de complications successives ou lors de certains épisodes pénibles, je reconnais avoir songé parfois que les chats et les chiens avaient bien de la chance d'être si aisément euthanasiés. Il m'est aussi arrivé d'estimer qu'un vieux misanthrope au cœur sec ne mérite guère de vivre davantage. Et quand des douleurs physiques trop vives venaient s'additionner à l'anxiété face à une agonie prochaine, la possibilité du suicide s'est faite quelquefois plus lancinante[9].

La vérité, c'est donc que la perspective de la fin annoncée suscite en moi un grand nombre d'émotions ou d'impressions qui alternent et se mêlent, s'entrechoquent et se contredisent, se complètent et se nourrissent mutuellement, se succèdent et se chassent l'une l'autre, s'annulent et se métamorphosent.

Sans doute le décès apparaît-il comme une expérience trop intense pour ne provoquer en nous qu'un ou deux affects dominants et simples. La conscience de devoir mourir ne peut manquer de susciter chez l'être humain beaucoup d'autres sentiments que le courage ou la peur.

En effet, envisagée dans la perspective du vécu de la personne qui se sait condamnée, la mort apparaît comme un phénomène existentiel total. Elle met en jeu toutes les dimensions de notre vie et de notre être, avec les inévitables contradictions qui s'y rencontrent ou peuvent en résulter [10].

C'est aussi l'une des raisons pour lesquelles celui ou celle qui approche de la tombe n'a aucun conseil — sans parler de «leçons» — à donner à personne d'autre que soi-même.

Une partie de la crainte face à la mort ne serait-elle pas le reflet d'une impression confuse, celle de n'avoir pas *bien* ni *assez* vécu? Comment le vérifier?

Les professionnels de l'accompagnement des mourants soutiennent parfois que mieux la personne concernée estime avoir accompli ce qui lui tenait véritablement à cœur et plus elle se montre sereine devant l'approche de sa fin. Si cela est juste, on pourrait y voir un indice allant dans le sens de cette hypothèse.

Il serait donc plus facile d'accepter la mort lorsqu'on croit être resté suffisamment fidèle à ses convictions, avoir été soi-même dans une mesure qui nous satisfait, avoir vécu assez intensément ou comme bon nous semblait.

Cela ne saurait, bien sûr, être de l'ordre du tout ou rien, mais plutôt affaire de dosage: il s'agirait d'estimer si le fléau de la balance penche plutôt vers une vie «réussie» ou vers une vie «manquée». Dans le premier cas, la résignation à mourir serait plus facile, plus pénible dans le second.

Mais cette idée paraîtra, en fin de compte, un peu trop simple pour être entièrement vraie.

Je voudrais le dire sans pathos, parce que c'est simplement un fait, aussi frappant soit-il pour moi: la seule

chose qui me fasse pleurer ces temps-ci, systématiquement et à chaque fois que j'y pense, c'est la perspective de
déserter celle qui aura été le grand amour de ma vie, de
l'abandonner à une solitude qu'elle ne souhaite pas.

Je sais trop à quel point c'est idiot, enfantin,
impossible, mais je donnerais n'importe quoi pour lui
trouver, dès à présent, un remplaçant qui soit vraiment de
son goût — et qui, contrairement à moi, vivrait très
vieux, cela va sans dire.

Je ne me l'étais jamais avoué clairement: j'ai longtemps mythifié ce que j'appelais «la Vie». Il s'agissait, en
fait, d'un relent de religiosité laïcisée. Mais «la Vie»
n'existe pas et, au fond, je le savais parfaitement, même
lorsque je disais: «Merci, la Vie!»

Quant à la vie sans majuscule (c'est-à-dire le
phénomène biologique envisagé dans sa globalité), qui
n'est aucunement une entité substantielle, elle est sourde
et aveugle; elle se fiche bien des vivants individuels, si
l'on peut dire.

De surcroît, elle est faible et éphémère: la matière
cosmique, tellurique ou technologique est bien plus forte
qu'elle et peut, sans difficulté, l'écraser à l'improviste.

J'ai mis ma lèvre à la coupe d'argile
Pour y chercher le secret de la vie!
Elle m'a dit: tant que tu vis encore
Bois, car les morts ne reviennent jamais.

Omar Khayyàm

Dire que ce qui nous attend après la mort, c'est le
«néant», voilà en fin de compte une manière relativement artificielle et prétentieuse de s'exprimer.

Si je possède une admirable tasse de fine porcelaine chinoise et que je la casse en mille morceaux, vais-je prétendre qu'elle s'en est allée au «néant»? Certes sa beauté, ou son utilité pour boire du thé, propriétés émergentes dues à une certaine organisation ouvrée de la matière, ont irrémédiablement disparu. Mais il n'y a pas vraiment lieu de convoquer le «néant» dans cette affaire.

Pourrait-on réprimer un sourire en entendant quelqu'un d'assez snob pour affirmer que son chien est «retourné au néant»?

Pourquoi en irait-il différemment dans le cas de la pensée et de la conscience humaines, propriétés émergentes dues à une certaine organisation, hypercomplexe tant qu'on voudra, de la matière vivante?

La mort n'est pas le «néant»; c'est une extinction, une dissolution, une décomposition, une démolition, une désintégration, une cessation.

Il est vrai que les propriétés émergentes auxquelles nous nous identifions et auxquelles nous tenons le plus, comme l'esprit, la subjectivité et la personnalité, s'y trouvent entièrement annihilées, abolies ou *anéanties*.

Est-ce une raison suffisante pour invoquer un absolu comme le «néant»?

Autre affaire d'absolu passablement sophistique: la solitude.

On meurt seul, quel drame! À quoi on pourrait être tenté de répondre qu'on vit seul aussi et que donc on devrait y être habitué. Mais non, il paraît que la solitude est plus grande dans la mort.

En fait il y a ici une confusion, assez primaire, entre deux sens du mot «solitude». D'une part, chacun est seul à être lui-même, à vivre ce qu'il vit, à naître et à mourir. D'autre part, on est seul lorsque nul ne nous accompagne, et on n'est pas seul lorsqu'une ou plusieurs personnes (spécialement des êtres chers) nous tiennent compagnie.

Le premier sens est trivial (ou «métaphysique», c'est égal): par définition, en tant qu'individu biologique séparé, chacun vit seul et meurt seul. Le second sens est signifiant, riche et chargé d'affects: on peut mourir (ou vivre) isolé et délaissé, dans une grande solitude, comme on peut mourir entouré de présences rassurantes, de chaleur humaine et d'affection profonde, sans ressentir aucune solitude pénible.

«On meurt seul»... Magie du verbe. (Magie de pacotille.)

À Rome, lorsque les médecins de l'hôpital San Giacomo m'ont appris que le cancer avait récidivé de façon agressive et qu'un organe vital était gravement atteint, j'ai d'abord cru comprendre que j'allais mourir assez rapidement — dans deux ou trois mois, tout au plus. Rentré à Montréal, ces deux ou trois mois sont passés et finalement un spécialiste s'est risqué, sans garantie bien sûr, à un pronostic explicite: sauf accident, encore six mois, un an peut-être.

Tout à coup ce verdict qui, en d'autres temps, m'aurait glacé d'effroi, m'a semblé presque une bonne nouvelle: un long sursis. Comme quoi en ces matières, tout est relatif, ainsi que le veut la sagesse populaire.

La mort n'est pas un paradoxal non-être, fondamentalement immanent à la réalité humaine et secrètement constitutif de cette dernière.

Certes, tout possible, a fortiori toute nécessité, sont «immanents» en un sens, si l'on y tient; mais cela ne veut pas dire grand-chose.

À mon avis, la mort n'est qu'un événement naturel, objectivement situé dans le décours temporel, ce qui n'en fait pas une mystérieuse composante structurelle et permanente de notre être essentiel. En tant que simple événement naturel, toute mort est passée, présente ou à venir.

Celui dont on peut dire «il ne passera pas l'hiver» s'en rapproche dans le temps. S'il le sait, il en est affecté autrement que par la simple conscience de la mortalité humaine envisagée dans toute sa généralité.

Au bout du compte, tout suggère que ma mort n'est pas le noyau intime de ma vie, qu'elle n'en est au fond qu'une péripétie — ultime, il est vrai.

«Nous sommes toujours à la même distance de la mort», écrit un philosophe [11]. Peut-être, mais en deux sens bien particuliers, celui de la possibilité (ma mort est toujours également possible) et celui de la nécessité (ma mort est toujours également inévitable). C'est pourquoi je serais tenté de reconnaître que «la mort est ce dont le refus ou l'acceptation n'a pas de sens [12]».

Par contre, cette «distance à la mort» varie grandement en termes de *probabilités*. Nous le savons si bien que nous ne réagissons pas de la même manière devant une mort précoce, peu probable (au moins dans nos sociétés «développées», car dans les cultures traditionnelles la mort pouvait paraître frapper indifféremment à tout âge) et devant une mort tardive, hautement probable; ni devant une mort rapide arrivant à l'improviste d'une part, et d'autre part une mort certaine annoncée quelque temps à l'avance.

Face au *savoir* d'une fin prochaine, et spécialement d'une fin prématurée, la question de l'acceptation ou du refus reprend d'ailleurs une indéniable signification psychologique.

C'est sans doute ce qui explique certaines réflexions de Sartre rapportées par sa compagne. Déjà en 1971, répondant à la remarque qu'il traverse une période difficile, il répliquait: «Oh! ça ne fait rien. Quand on est vieux, ça n'a plus d'importance. On sait que ça ne durera plus longtemps. C'est normal qu'on s'abîme petit à petit. Quand on est jeune, c'est différent [13].»

Une petite mise au point me paraît ici souhaitable. En un sens, le refus de la mortalité humaine est vain, tout comme celui de notre propre mort lorsqu'elle est devenue inéluctable. Mais cela ne signifie aucunement que, d'un autre point de vue, ce qu'on pourrait appeler une *révolte face à la mort* ne soit pas pleinement légitime et nécessaire.

En effet, dans la perspective éthique et politique, il demeure évident que les formes de la mort sont trop souvent conditionnées, de façon directe ou indirecte, par des choix ou actions contre lesquelles on peut et doit absolument s'élever, militer et s'engager.

La mort des enfants affamés du tiers-monde; la mort des victimes de la barbarie idéologique nazie, de diverses entreprises de «purification ethnique» ou encore d'un terrorisme gauchiste, séparatiste ou religieux (islamiste par exemple); même la mort des forêts et des espèces animales menacées; la mort des victimes de la pollution; celle des travailleurs contaminés par un environnement professionnel malsain; la mort des accidentés de la route; la mort des civils durant les guerres et celle de tous les martyrs de la violence humaine — la liste serait malheureusement interminable —, ce sont là des morts qui appellent, qui exigent notre dénonciation et notre refus.

Car la mort, lorsqu'elle n'est ni justifiée ni voulue, est certainement le pire des maux que l'humain — y compris les institutions sociales diluant les responsabilités individuelles au point de les rendre introuvables — puisse infliger à autrui.

C'est pourquoi les décès provoqués par des activités humaines vouées à des intérêts inférieurs ou maléfiques constituent le plus inacceptable des scandales. La protestation, l'insoumission, le soulèvement contre de telles formes de mort me paraît donc véritablement une obligation supérieure et prioritaire.

Or, il ne fait pas de doute que, dans le monde d'aujourd'hui, les visages carrément immoraux de la mort engendrée, entre autres, par le désir aveugle du profit ou par le fanatisme idéologicoreligieux sont innombrables. On ne doit donc jamais se lasser de les condamner et de lutter pour que cette situation change en profondeur [14].

Il va de soi que dans mon esprit cet aspect (disons: *politique*) des choses n'était pas l'objet premier de mon carnet. Pour autant, cela ne devrait pas constituer une raison de laisser une fausse impression quant au sens qu'une attitude de résignation ou d'acceptation devant la mort serait susceptible de revêtir.

Pourquoi quelqu'un ne pourrait-il «accepter» sa mort tout en dénonçant les conditions sociales, économiques, technologiques, etc., qui l'ont rendue possible et inévitable?

Militer pour le respect des droits humains (en particulier des droits sociaux) et pour la démocratie, contre le racisme et les nationalismes ethniques, pour la réduction des inégalités, pour l'aide au tiers-monde et l'annulation de la dette des pays du Sud, pour l'application de taxes internationales sur les transactions financières, pour la limitation des ventes d'armes, pour le démantèlement des paradis fiscaux et des bases militaires étrangères, pour le rejet d'un libre-échange intégral et généralisé, pour un contrôle rigoureux et efficace de toutes les formes de pollution de l'environnement, pour la souveraineté alimentaire et l'interdiction de la privatisation de l'eau, etc., c'est aussi une manière de lutter contre tant de morts injustes et inacceptables dues à la pauvreté, à la tyrannie sous toutes ses formes, à l'extrémisme, à une logique marchande excessive et sans frein, ainsi qu'à l'inconscience individuelle ou collective.

Tant il est vrai que l'homme est un *être-pour-la-vie*, car c'est en vue d'une vie digne de ce nom qu'on se révolte contre des formes de mort qui auraient pu et dû être évitables, tout comme c'est pour vivre le moins mal possible qu'on se résigne à une mort annoncée et qu'on veut, lorsque survient la maladie fatale, connaître la vérité et savoir combien de temps il nous reste.

Cette formule que j'adopte ici (des pensées plus ou moins longues, séparées et juxtaposées) ne m'était guère familière jusqu'ici. Mais nécessité fait loi. En effet, la maladie devient progressivement un handicap permanent, me plongeant même parfois dans une sorte d'appréhension partielle ou approchée de la mort (souffrances, dérèglement des fonctions vitales, bouleversement de la vie mentale, etc.). Elle ne me laisse alors que bien peu d'occasions de me concentrer et de travailler — la maladie, sans oublier la médecine, terriblement exigeante et pénible.

De plus, je sais que je pourrais à l'improviste cesser d'écrire demain. Si j'avais entrepris un long exposé systématique, le laisser subitement en plan l'aurait en quelque sorte annulé à mes yeux. Alors que quelques pensées sans trop de suite demeureront ce qu'elles sont même si elles devaient, en fin de compte, être moins nombreuses, moins complètes et moins riches que je l'aurais souhaité.

C'est donc une assez bonne forme littéraire pour un patient en fin de vie, me semble-t-il.

Des réflexions sur la mort seraient-elles nécessairement plus valables parce que provenant d'un penseur conscient qu'il va lui-même bientôt mourir? Naturellement non. La vérité ne vient pas automatiquement avec le «vécu».

Pas plus valables, donc; peut-être plus «authentiques [15]» ou plus «pertinentes»?

Qui sait?

La mort prévue est la plus terrible des morts.
Bacchylide de Céos

Des amies soumettent à mon attention un curieux texte attribué à Pierre Bourgault. J'ignore jusqu'à quel point il est authentique, mais admettons-le. Il mérite un certain intérêt dans la mesure où il cristallise diverses réactions que l'approche soudaine de la mort peut susciter. J'aimerais le reproduire et proposer quelques brefs commentaires à son sujet:

« Le cœur bat plus vite que de coutume et le cerveau explose. Je me demande lequel des deux explosera le premier, à moins que je m'occupe de tout cela moi-même, ce qui n'est pas une si mauvaise idée après tout. Je m'engloutis dans toutes les contradictions. Je suis vivant mais je suis mort. Je suis résigné mais je veux me battre. Un instant je m'imagine longeant les murs sans lever le regard, puis je décide de porter la tête haute et de soutenir les terribles regards de tous ces accusateurs qui disent encore m'aimer. Je veux vivre et je veux mourir. Je veux ignorer le bourreau qui ne sait pas ce qu'il fait, puis je veux me venger. Je veux dormir mais rester vigilant. Je suis allumé, puis je m'éteins. Je me suis toujours un peu moqué de la mort, la mienne et celle des autres. Tout s'arrête et voilà, c'est tout. Je ne l'ai jamais souhaitée, mais je n'ai jamais non plus tenté de l'ignorer. Je savais qu'elle viendrait en son temps. Je souhaitais qu'elle soit simple, qu'elle soit douce et qu'elle me prenne à l'improviste. Mais voilà qu'elle se présente devant moi dans toute sa brutalité, avec une brusquerie sauvage qui m'arrache de terre avec violence. Je comprends maintenant pourquoi il vaut mieux ne pas connaître le jour de sa mort, car autrement, on devient un mort vivant! Vous vous levez un matin et tout va bien, puis quelqu'un vous annonce que vous serez exécuté dans l'après-midi. Entre le matin et l'après-midi il y a l'éternité. Pas la vie, l'éternité qui comme on le sait, ressemble parfois à l'enfer. Oui, c'est de cela qu'il faut parler, l'enfer. J'y suis plongé depuis cinq jours entouré de tous ces démons déchaînés, les miens et ceux des autres; ils m'assaillent de toute part et me roulent dans la boue. Je ne suis plus rien, moins que rien et pourtant il me reste la rage, oui, cette sorte de rage qui est plus que de la colère. Oui, cette rage incandescente qui me brûle et me consume comme le feu le ferait sur un bûcher! Voilà cinq jours que ça dure, non seulement l'épouvante ne diminue pas, elle s'installe à demeure. Je sais que le fusil a craché son feu mais je ne sais pas quand il m'enflammera le cerveau. Inconsciemment, je longe déjà les murs et ne regarde plus les gens, les voisins, les passants dans les yeux. J'attends. Une attente habitée de toutes les angoisses, de tous les cauchemars, je ne me déplace plus que lentement comme si je craignais d'arriver trop vite au but. Je regarde mon chien avec plus de tendresse que d'habitude et c'est dans une sorte de brouillard que j'aperçois ma terrasse abondamment fleurie. Je vois à peine les fleurs qui ne sont plus que des taches de couleur imprécises s'évanouissant en plein soleil. Désormais, je sais ce qu'est la folie, le retrait, le refus, le départ ailleurs. Je me sens devenir fou. Je commence à comprendre que la mort et la folie ne sont peut-être qu'une seule et même chose ; je n'en peux plus. Ah ! tuez-moi au plus tôt et qu'on en finisse enfin. Je suis mort et je vis — l'horreur absolue. Ce n'est pas tant la mort en soi. C'est la mort qui surgit de nulle part dans l'humiliation et l'opprobre. Ce n'est pas la mort tout court, c'est la mort qui s'accompagne d'un jugement injuste et de la condamnation sans appel. C'est la mort qui survient dans les cris de vengeance. C'est la pire des morts, c'est la mienne. J'ai connu tout au long de ma vie des souffrances individuelles et de lourdes épreuves mais, réunies toutes ensemble, elles pèsent bien peu auprès de la tourmente dans laquelle je suis plongé [16] ! »

Dans son impudeur hystérique (peut-être parfaitement adaptée à la situation), ce texte est révélateur à plusieurs égards.

Premièrement, il fait ressortir les sentiments contradictoires qui assaillent parfois celui qui se découvre soudainement voué à une disparition prochaine lui apparaissant, à tort ou à raison, comme prématurée. Il va même jusqu'à mettre en relief le fait que, bien qu'étant toujours vivant, le condamné peut se percevoir paradoxalement comme déjà mort, étranger parmi les autres vivants, exilé d'eux, coupé de la vie par un inexplicable brouillard d'enfer (« Je suis vivant mais je suis mort »), la contradiction suprême étant celle qui fait que le seul moyen d'échapper au trépas devient alors la mort elle-même (« tuez-moi au plus tôt et qu'on en finisse » — « à moins que je m'occupe de cela moi-même »).

En second lieu, il montre bien le risque d'inconsistance, de naïveté ou de fragilité des opinions théoriques et abstraites que la personne avait pu former durant sa vie normale au sujet de la mort (« Je me suis toujours un peu moqué de la mort, la mienne et celle des autres. Tout s'arrête et voilà, c'est tout. Je ne l'ai jamais souhaitée, mais je n'ai jamais non plus tenté de l'ignorer. Je savais qu'elle viendrait en son temps. Je souhaitais qu'elle soit simple, qu'elle soit douce et qu'elle me prenne à l'improviste»). Mais lorsque la mort réelle surgit, son visage est bien différent, les choses deviennent en général moins simples et plus brutales: on avait simplement oublié que tout le monde ne peut pas disparaître paisiblement dans son sommeil, à quatre-vingt dix ans, sans douleurs, sans avoir été malade ni diminué [17].

Troisièmement, il suggère qu'un lien intime existerait entre la perspective de la mort et le risque de la folie. Je suis de ceux qui ont toujours pensé qu'à la source de nombreuses formes de psychopathologie humaine pourrait bien se cacher une quelconque inaptitude à supporter la conscience de devoir mourir («la mort et la folie ne sont peut-être qu'une seule et même chose»).

En quatrième lieu, il manifeste le caractère extrême que revêt souvent l'expérience limite de la mort («Le cœur bat plus vite que de coutume et le cerveau explose»). Il parle d'épouvante, d'angoisse, d'enfer, de tourmente, d'horreur absolue, n'hésitant pas à prétendre que cette épreuve est pire que la somme de toutes les autres, pourtant nombreuses, qu'il a pu connaître.

On ne conclura pas que tous ceux qui sont confrontés à l'annonce d'une fin prochaine réagissent de manière aussi excessive. Mais on n'exclura pas davantage l'éventualité que ce texte n'exprime ouvertement des choses que la plupart des gens seraient seulement incapables de formuler, même s'ils les ressentent à quelque degré.

L'un des facteurs qui déterminent l'intensité de la réaction à la mauvaise nouvelle d'un mal incurable, c'est probablement le temps : pour ma part, j'ai eu de longs mois pour soupçonner un cancer malgré les incertitudes des médecins [18], et, plus tard, des mois encore pour appréhender une récidive. Durant toute cette période, il se trouve que mon frère aîné souffrait lui aussi d'un autre type de cancer, qui l'a finalement emporté au moment même où j'apprenais que mon propre cas était désormais désespéré.

Quand ce verdict est tombé, je m'y étais donc en bonne partie préparé mentalement. Je vivais, depuis trois ans au moins, avec la conscience claire de cette éventualité, que je considérais comme assez probable. On imagine que chez un Pierre Bourgault, par exemple, la nouvelle est au contraire arrivée par surprise.

Si ce seul fait n'explique pas tout, il doit pourtant jouer un certain rôle. Dans un cas, le choc psychologique est dilué ou atténué, dans l'autre, concentré.

Phénomène étrange. Ma fin approche bel et bien, mais en un sens elle tarde. Les mois passent et je ne meurs pas. Durant d'assez longues périodes, je ne souffre guère. On m'opère ici ou là. On me propose tel ou tel traitement palliatif. La vie semble reprendre le dessus.

Je me répète depuis si longtemps que je suis condamné à une disparition prochaine, j'y pense tellement souvent, j'ai tant écrit à ce sujet, je ne me prive pas d'en parler, etc. — que je commence à me demander si je ne m'y suis pas insidieusement *habitué*. Le danger s'émousse, se banalise ; il perd de son mordant, de son tranchant. Je m'y adapte.

Quel potentiel de résilience n'avons-nous pas !

Et puis tout à coup, il suffit de quelques douleurs, d'une scannographie révélatrice et de deux ou trois prises de sang inquiétantes pour que le spectre de la mort resurgisse, plus menaçant que jamais. Ce que je vivais comme un assez long sursis se dissipe, la maladie s'impose et la fin, de nouveau, paraît imminente.

Affectivement, je me sens le jouet de l'incertitude, d'une information inévitablement lacunaire et pleine d'impondérables.

Je ne m'étais donc pas véritablement *habitué* à la perspective de ma mort prochaine: j'en avais plutôt détourné peu à peu mon attention, j'avais cessé d'y croire activement et viscéralement, je l'avais reportée à plus tard. Ma prétendue lucidité aurait donc ses éclipses commodes.

Dans les circonstances particulières où je me trouve placé, je me suis demandé s'il y avait une chose que j'aurais aimé exprimer et que j'avais négligée jusqu'ici. La première réponse qui me soit venue concerne la «culture» philosophique. Je n'ai pas expliqué comme je l'aurais dû que la philosophie n'était pas, à mon avis, une affaire de création individuelle, d'invention personnelle, de génie littéraire, mais devrait au contraire évoluer, au moins en partie, vers une forme de travail théorique, argumentatif, critique, démonstratif et logique, appelé à devenir *relativement impersonnel* et à être *mené à plusieurs*.

Tout cela se déduirait de la conception que je me fais depuis longtemps de ce qu'est la philosophie. Je dirais qu'à la base, j'en ai une interprétation assez traditionnelle, presque aristotélicienne: c'est l'ensemble des pensées et discours portant sur la recherche du vrai dans les matières qui échappent à la connaissance commune comme au savoir scientifique, soit qu'elles en constituent des préalables (le monde physique existe-t-il?), soit qu'elles semblent, par principe ou jusqu'à nouvel ordre, inaccessibles à toute méthode d'investigation objective (Dieu existe-t-il?), et ainsi de suite.

Plus j'ai progressé dans mes réflexions à ce sujet et plus je me suis convaincu que la philosophie ainsi conçue devrait devenir une entreprise collective, au point que je rêve à présent d'un traité anonyme rédigé par une équipe internationale et qui passerait en revue, une à une, de manière systématique et exhaustive, chacune de ces questions, avec toutes leurs réponses connues, ainsi que tous les arguments et objections concevables, etc. *Débats philosophiques* n'en est qu'un aperçu pédagogique élémentaire et j'ai bien peur de n'avoir jamais la chance d'aller plus avant dans ce sens.

J'ajouterai que la principale différence entre ma conception de la philosophie et celle que je vois répandue autour de nous, c'est d'une part que je mettrais fortement l'accent sur la continuité et la convergence nécessaires entre tout discours philosophique et les connaissances scientifiques acquises, et d'autre part mon refus d'une approche littéraire, herméneutique, historique, subjectiviste ou «artiste» de la philosophie.

C'est sur cette base que je rêve de divers types d'organisations collectives élaborant en commun, sans a priori idéologiques, des chaînes systématiques de raisons «pour» et «contre» telle ou telle thèse philosophique, jusqu'à en arriver à des solutions et à des conclusions — certes provisoires et ne faisant pas l'unanimité, mais qui permettraient selon moi d'avancer à pas de géant là où on ne fait, pour l'instant, que piétiner. Et je ne songe pas à une entreprise dogmatique ni, moins encore, à prétention axiomatique: je songe seulement à une évaluation rationnelle de tous les principaux arguments en présence. (Est-il besoin de signaler que l'internet devrait contribuer à faciliter immensément la mise en œuvre de tels projets collectifs?)

Je sais qu'on va me faire d'innombrables objections. Comment organiser un tel travail? Pourquoi renoncer ainsi à l'histoire de la philosophie? Ne serait-ce pas copier la formule des recherches et des publications scientifiques dans un champ où elle n'a pas sa place? Etc. Non seulement d'après moi ces objections pourraient-elles être réfutées, mais surtout, l'extraordinaire à mes yeux est qu'on n'essaie même pas.

Si un mince 10% des énergies philosophiques actuellement gaspillées en colloques, conférences, congrès, recensions, revues savantes, thèses de doctorat en histoire de la philo et autres balivernes étaient investies dans une tâche de reconstruction critique et théorique de quelques questions fondamentales, le paysage et la culture philosophiques en sortiraient peut-être transformés à jamais.

Mais j'y ai pensé trop tard, non pas pour changer le cours des choses (je ne me fais guère d'illusions sur ma possible influence), mais simplement pour pouvoir espérer m'expliquer comme il l'aurait fallu [19].

Admettons un instant que ce soit Bernard-Henri Lévy qui, en dernière analyse, ait raison: «Une philosophie est un style avant d'être un système. Un ensemble de gestes et d'attitudes avant d'être une collection de textes et de concepts.»

Il demeure que, même dans cette hypothèse, si la voie opposée (que je défends) était explorée par quelques jeunes esprits courageux ou naïfs, cela n'empêcherait nullement les tenants d'une approche littéraire et passionnée de poursuivre leur chemin propre. Mais on aurait, après un siècle de concurrence entre les collectifs d'explorateurs logiques de systèmes argumentés et les individus créateurs engagés de styles de pensée, une chance nouvelle de tirer de la comparaison quelques leçons fructueuses.

L'herméneutique dite «du soupçon» nous a appris à nous interroger sur les types humains susceptibles de donner naissance à telle ou telle doctrine philosophique. Mais on devrait aussi poser une question portant sur les effets ou les conséquences, et non plus sur les origines: quelles attitudes et quels comportements un semblable discours est-il le plus apte à encourager ou induire?

Par exemple, la tradition théologique pourrait apparaître comme un moyen propre à induire à la fois le respect envers l'autorité ou les normes et une satisfaction différée du narcissisme humain dans l'imaginaire (avec ce que cela implique de résignation aux injustices réelles). Le léninisme, envisagé sous cet angle, apparaîtrait comme un excellent instrument au service d'un élitisme dirigiste. Et ainsi de suite.

Toute philosophie est, par certains aspects, *discours incitatif* — non seulement de croyances mais de dispositions et d'actions. Il y aurait un intéressant panorama des grands courants d'idées à brosser dans cette optique, celui des attitudes devant l'existence implicites dans les principales doctrines.

Qu'une même doctrine puisse favoriser diverses attitudes parfois incompatibles ne serait pas une objection à ce panorama.

Pourquoi la position naturaliste est-elle de loin préférable à celle de l'idéalisme? Par hygiène, c'est-à-dire par une conjonction d'économie, de vraisemblance et, si surprenant cela paraisse-t-il, de moralité (au sens d'anti-égocentrisme).

C'est que le point de vue de l'autre est en général supérieur à celui du moi sur lui-même, comme le sait le médecin, qui n'essaie jamais de se soigner tout seul. Or le point de vue que chacun de nous entretient la plupart du temps en ce qui concerne les six milliards d'autres, c'est celui du matérialisme et du réalisme, comme on le voit bien dans l'exemple de la mort.

Ce réalisme et ce matérialisme sont tout ce que j'aurais à confesser dans un éventuel «Ce que je crois».

Ils reposent en premier lieu sur l'attitude consistant à promouvoir un rapprochement et une continuité entre la pensée scientifique et les spéculations philosophiques. Pour tout ce qui concerne la philosophie générale, l'ontologie, la «métaphysique» et la formulation d'une vision ou conception du monde, j'y vois un préalable absolu. (En passant, je songe davantage aux acquis fondamentaux des diverses disciplines plutôt qu'aux dernières avancées et aux idées frontières, si importantes, excitantes et stimulantes soient-elles.)

Mais je ne nierais pas que, lorsque vient le temps de nous interroger sur des aspects plus «existentiels» (notre vie, nos rapports à autrui, nos engagements, la mort, etc.), le lien soit parfois beaucoup moins immédiat, encore qu'une morale qui ignorerait les données de la biologie et de l'anthropologie, par exemple, ou une philosophie politique qui croirait pouvoir se passer des recherches des sciences économiques ou de la sociologie, s'exposeraient à certains risques inutiles. La connaissance scientifique constitue notre meilleure approximation de la vérité et nous offre le meilleur ensemble de méthodes pour contrôler cette approximation.

En second lieu, ils supposent le postulat de l'existence indépendante d'une réalité objective et d'un monde extérieur. Nos schèmes mentaux, linguistiques et culturels peuvent bien conditionner ou biaiser la connaissance que nous en avons, ils ne sauraient modifier les choses elles-mêmes. L'univers était là bien avant nous et, sans nous, il serait ce qu'il est. L'espèce humaine, la conscience et la pensée, les langues et les cultures, sont des développements tardifs de l'évolution de ce monde réel : nous sommes partie de la nature et en continuité avec elle. Notre esprit n'est qu'un produit de cette évolution et ses principales aptitudes dépendent étroitement d'une certaine capacité à fournir une représentation des choses suffisamment adéquate pour assurer la survie de l'espèce.

Conjointes à l'intelligence et au raisonnement, l'expérience et la pratique sont deux des voies primordiales de notre interaction avec les réalités extérieures et, dans la mesure du possible, toutes nos théories devraient être soumises à leur épreuve. La praxis est l'arbitre de la théorie et toute vérité est a posteriori (y compris la vérité du réalisme et du matérialisme).

En outre, l'univers tel que nous le font connaître les sciences est matériel de part en part et il n'existe pas de raisons solides pour postuler l'existence d'entités immatérielles. Le monde réel est matière et la physique nous en donne la meilleure connaissance approchée actuellement disponible. Quant à la vie, elle peut être envisagée en tant que production émergente de la matière physicochimique dans des conditions énergétiques favorables. L'esprit ou la pensée sont, à leur tour, des phénomènes émergents sur la base d'organismes complexes dotés d'un système nerveux central hautement organisé : pas de conscience sans un corps et un cerveau matériels. Grâce à son système nerveux central très développé, l'être humain est doté de facultés mentales et symboliques qui lui confèrent une certaine marge d'autonomie. Nous sommes aptes à penser, à nous représenter le monde extérieur, à faire des choix réfléchis, à produire des œuvres de technique, d'art ou de science, etc. De plus, chaque humain, pris individuellement, n'est qu'une parcelle de l'espèce humaine et de son histoire, dont chacun hérite dans une plus ou moins large mesure, par voie de socialisation et d'éducation.

Tout cela nous conduit naturellement au point suivant: la vérité de l'être matériel, c'est le devenir, le changement, le procès, le mouvement, l'évolution, la naissance et la mort, le développement, l'activité, l'émergence, la productivité ou la créativité, l'interaction dialectique et dynamique des forces. Rien n'est éternel, tout passe. L'univers matériel est le théâtre d'une série infinie d'événements.

Enfin, il faut ajouter que nos rapports au monde sont d'une complexité et d'une richesse extrêmes. La théorie et la connaissance ne sont manifestement que l'une des dimensions de notre commerce avec les choses et les êtres. Le désir, la satisfaction de nos besoins, la création, l'aventure, la recherche du plaisir, l'amour, la vie sociale, la coopération, le travail, la concurrence, la critique, l'évaluation axiologique ne sont que quelques exemples entre mille. Notre philosophie se doit, en conséquence, de faire sa place à un pluralisme ouvert. Le seul sens possible de nos existences éphémères réside, en effet, dans les multiples et diverses activités, humainement significantes et valables, que nous y conduisons, dans leur réussite relative et dans leur contribution au développement personnel et collectif, ainsi que dans la part de bonheur qu'elles nous procurent.

On peut appeler naturalisme la conception du monde qui embrasse ces manières de voir. Il est assez clair qu'elle ne laisse aucune place à des croyances surnaturelles telles l'existence de Dieu ou la survie de l'âme des défunts. Ce naturalisme est une philosophie de l'humanité et de sa vie terrestre — dont la mort n'est, en somme, qu'une composante naturelle mais relativement secondaire.

J'avais été très frappé, dans ma jeunesse, par l'aveu d'un célèbre écrivain catholique (sans doute le Français Mauriac[20] dans une de ses chroniques de l'hebdomadaire *L'Express* des années 1960) qu'il lui était beaucoup plus facile de croire en l'immortalité de l'âme pour ses proches et pour lui-même que pour des centaines de millions de Chinois, d'Africains ou d'Indiens inconnus.

Louable lucidité.

Les idéalistes ne cessent d'invoquer les exigences de l'esprit et de la conscience. Opposons-leur la première exigence de la raison: ne rien admettre qui n'ait reçu une confirmation suffisante.

Quant aux fameuses «exigences de l'esprit», on pourrait leur donner un meilleur nom: *désirs*. Désir que la vie ait un sens; désir que le réel réponde à un dessein intelligible; désir qu'il existe un être tout-puissant qui nous aime et punit les méchants; désir que l'être humain soit investi d'une mission unique et privilégiée; désir que nous participions, sous une forme ou une autre, au sacré.

Ce ne sont pas là des exigences de la pensée, seulement une nostalgie infantile. Or, il y a bien peu de motifs pour croire que la vérité se doive d'être conforme à nos désirs. Le réel ne nous doit rien, ou, comme le disait Alain: «On ne nous a rien promis.»

Jeune, je ne me suis jamais imaginé que j'allais un jour être philosophe, seulement «prof de philo». Je me voyais davantage comme un polémiste, un critique, un essayiste. Mais n'oublions pas qu'il y a un lien intime entre philosophie et polémique: toute grande question philosophique est disputée. Simplement, cette dispute peut prendre diverses formes et se dérouler à différents niveaux et selon de nombreuses modalités. Mon tempérament, je n'ose pas dire mon talent, me condamnait sans doute à n'être qu'un modeste polygraphe plutôt qu'un grand spécialiste, voilà tout. Je peux affirmer que j'en ai été heureux — c'est déjà quelque chose.

Le lien entre tout cela réside dans le fait que je suis profondément attaché à l'esprit des Lumières. Pour moi, il subsiste un lien essentiel entre la pensée philosophique et l'affrontement idéologique entre scepticisme, raison critique, exigence scientifique d'une part, superstition, spéculation fantaisiste, crédulité d'autre part.

Dans mon esprit le philosophe c'est, comme au dix-huitième siècle, celui qui ose affronter les pouvoirs, qu'ils soient religieux ou politiques, tout en cherchant à la fois à fonder une éthique purement humaine et à lutter pour davantage de droits, de liberté, de justice et d'égalité, mais toujours à la lumière d'un maximum de connaissances rigoureuses autant que de la libre discussion rationnelle. Sur ces points, je me réclame volontiers de l'*Encyclopédie* et du mouvement de la libre pensée : le philosophe ne peut manquer d'être également un polémiste.

> *Les choses humaines ne sont que fumée et néant.*
>
> Marc Aurèle

Depuis que le cancer m'a frappé, voici environ trois ans, j'ai découvert qu'il peut exister un *point de vue de la mort*. C'est une perspective, assez étrange et tordue, sur la vie et les choses, que bien sûr seul un vivant peut entretenir, mais qui tend à tout retourner en *négatif de la vie*.

La tentation de l'adopter n'est jamais irrésistible, même pas chez une personne convaincue de sa fin prochaine et obsédée par l'anéantissement qui l'attend, mais elle fait partie des possibles qui se présentent à elle et contre lesquels il lui faut, le cas échéant, lutter.

Le point de vue de la mort présente toute chose comme nulle et non avenue, désolée et glaciale, rongée de l'intérieur par un vide dévorant, insignifiante et vaine, sans aucune valeur, ensevelie dans une nuit sans ombres, abolie avant d'avoir pu *être* véritablement. C'est une forme morbide de la séduction du nihilisme.

J'en trouve une expression exemplaire dans la pièce de Karel Capek *L'affaire Makropoulos* (1922), dont Janácek devait tirer un bel opéra. À la fin, l'héroïne déclare: «On a le sentiment que tout est vide, inutile, absurde. Vous êtes tous là, devant moi, et c'est comme si vous n'existiez pas. Comme si vous étiez des choses, ou des ombres… Être, ne pas être, cela revient au même, cela ne veut rien dire. [On] ne peut plus croire en rien. Rien ne peut rendre les hommes ni meilleurs, ni plus grands. [ ] Ce que vous appelez l'Histoire n'est qu'un tissu de mensonges. Il n'y a jamais rien eu de grand dans l'Histoire. […] Et tout finit par lasser. On se lasse d'être bon, comme d'être mauvais. On se lasse du ciel et de la terre. Alors l'ennui, l'affreux ennui [nous] ronge. Et l'on finit par comprendre que rien n'existe vraiment. Rien. Ni le péché, ni la souffrance, ni la terre, ni le ciel[21].»

Seul le «point de vue de la mort» peut suggérer ainsi que vie et mort *reviennent au même*[22]. Par nature, la vie rejette une telle vision. Quand elle fléchit et se laisse tenter de l'adopter, c'est l'indice qu'elle est minée et investie par la mort — ou du moins par la pensée de la mort.

La vérité c'est que, plus je suis malade, plus le spectre de ce nihilisme vient me hanter.

C'est dans la simplicité que réside la véritable grandeur.

Francesco De Sanctis

La question de l'existence (ou non), au-delà du monde sensible de l'expérience courante, d'un ordre transcendant du divin, de l'invisible et du surnaturel, quoique désormais généralement occultée dans la plupart des débats philosophiques actuels en Occident, continue bien entendu de hanter la conscience humaine.

Dans notre culture philosophique contemporaine, les grandes œuvres célèbres qui soient explicitement consacrées à la réflexion sur les questions religieuses ne sont pas très nombreuses. Toutefois, le divin est incontestablement resté présent chez un grand nombre de penseurs, même si c'est d'une manière parfois indirecte[23].

Pour ce qui est de la conscience humaine en général, les facteurs susceptibles de faire que les convictions religieuses — même en supposant qu'il existe des raisons décisives pour les considérer par ailleurs comme fausses et sans objet — soient très loin d'avoir disparu malgré la sécularisation montante seraient si nombreux, si évidents et si puissants qu'il est à peine utile de nous étendre sur eux. En effet, la foi au surnaturel, en rapprochant le croyant d'une communauté et en lui assurant d'une forme quelconque de protection et amour divins, contribue puissamment à le soulager de la solitude et du désarroi devant le mystère du sens de nos existences fragiles et éphémères; elle fournit également un ensemble d'explications à la fois de l'univers et de la destinée humaine; elle cultive le sentiment de communion avec — et de soumission à — une réalité supérieure englobante qui nous pousserait à nous surpasser spirituellement et moralement; elle permet de conjurer nos peurs ou angoisses existentielles et d'espérer (en un certain sens au moins) vaincre la mort, mériter le salut et retrouver dans l'au-delà les êtres qui nous sont les plus chers; elle procure encadrement et soutien éthique, valeurs absolues et finalités transcendantes, sacralisation des interdits, justifications pour nos modes de vie coutumiers et nos ordres sociaux, ainsi qu'une perspective de juste rétribution suprahumaine pour les mauvaises comme pour les bonnes actions, avec possible compensation pour les persistantes injustices terrestres; elle nous rattache à une tradition socioculturelle rassurante et porteuse d'une identité forte, validant en quelque sorte notre affiliation au camp du Vrai et du Bien; elle ménage des rituels ou cérémonials solennels et richement symboliques, propices à mieux franchir les grandes étapes (émouvantes, douloureuses, mystérieuses ou lourdes de responsabilités) de nos vies, comme la naissance, l'entrée dans la vie adulte, la fondation d'une famille et le décès de nos proches; elle participe (plus efficacement, à long terme, que tout autre moyen connu) au renforcement de la cohésion et du contrôle sociaux, etc.

Après de tels rappels, est-il besoin de préciser que la question spécifiquement philosophique de la validité théorique ou de la vérité objective des principales affirmations religieuses pèse en général pour bien peu, du moins en dehors du cercle étroitement limité des intellectuels critiques?

Cela posé, on ne perdra pas de vue qu'en outre, même dans les cercles philosophiques, une sourde lutte sociale affronte toujours activement les forces idéologiquement apparentées à la religion et celles qui y sont opposées: ainsi, dans les départements de philosophie des institutions universitaires européennes, par exemple, tout se passe le plus souvent comme si des quotas implicites étaient tacitement admis, en sorte que le nombre des professeurs chrétiens par rapport à celui des non-croyants (les «laïques») y reste un enjeu politique inavoué mais vivement disputé en coulisse.

C'est l'une des raisons pour lesquelles je crois qu'il n'y a pas de postmodernité: parce que l'un des conflits constitutifs de la Modernité, celui qui oppose la Raison et la Foi, continue à occuper une place centrale dans notre culture.

Je pense qu'on méconnaît beaucoup trop facilement le fait, pourtant fondamental, que la discipline «philosophie» est, encore à présent, le lieu d'un affrontement entre naturalisme et pensée du surnaturel. Le nombre et l'influence des croyants dans la philosophie contemporaine est à lui seul un indice révélateur: il n'y a pas que les grands noms connus comme ceux de Wittgenstein, Jaspers, Simone Weil ou Derrida. Envisageons par exemple le cas de la France. Un auteur comme Jeanne Parain-Vial n'hésite pas à rédiger un panorama des philosophes contemporains en deux parties: premièrement il y a selon elle les «sophistes» (c'est-à-dire tous ceux qu'elle juge athées, de Nietzsche à Deleuze en passant par Sartre et les marxistes), deuxièmement les vrais «philosophes» (tous les croyants ou spiritualistes, et la *liste est longue*[24]).

On pourrait m'objecter que c'est un cas marginal et non représentatif. Il n'en est rien. Dans le monde universitaire anglophone, la tension larvée entre naturalistes et spiritualistes est récemment revenue au premier plan, avec la percée d'un important courant religieux animé en particulier par Alvin Plantinga[25]. Il y a seulement une vingtaine d'années, on pouvait lire qu'aux États-Unis, «le matérialisme scientifique est le point de vue le plus répandu en métaphysique[26]». On voit clairement que c'était une illusion et que le surnaturalisme religieux n'avait aucunement baissé les bras.

Bref, le marxisme classique n'avait pas tort d'enseigner que la philosophie est hantée par la lutte entre matérialisme et idéalisme. Je dirais aujourd'hui entre «naturalisme athée» et «spiritualisme théiste», mais cela revient au même.

Je n'ai aucune hésitation à admettre que je me suis toujours inscrit dans cette dimension polémique. C'est d'ailleurs en ce sens que je tiens toujours à souligner à quel point la perte de la foi religieuse a constitué dans ma vie un tournant déterminant. Je serais, sinon, devenu prêtre plutôt que philosophe, j'en ai peur.

Mais comment *croire* réellement, sans devenir idiot, que «Dieu est un en trois personnes et son fils unique est né d'une vierge»?

La nouveauté métaphysique radicale des temps modernes, c'est le lent et progressif évanouissement de l'Invisible. Pour la première fois dans l'histoire universelle de la pensée humaine, le réel est devenu, pour un nombre grandissant de sujets pensants, intégralement *immanent*.

Nous voici donc, sœurs et frères humains, arrivés en ce vingt et unième siècle hier encore mythique et que je ne connaîtrai pas. Depuis nos ancêtres les plus lointains sur cette petite planète bleue du système solaire, jusqu'aux six milliards et demi que nous sommes environ aujourd'hui, il s'est écoulé, selon nos connaissances actuelles, près de trois millions d'années.

Dès ici, beaucoup me mettraient sans doute en garde: l'aventure de notre espèce est irrésumable. Je ne le contesterai pas et je ne vais pas me risquer à l'entreprendre ici. Mais on pourrait malgré tout tenter d'en dégager l'essentiel. Pour l'instant, je voudrais seulement retenir qu'elle ne s'est pas faite sans encombre. Presque partout la sueur et le sang la jalonnent, jouxtant les élans de joie, de vitalité et d'espoir.

Durant toute ma vie, je me suis proposé le projet simple et démesuré d'esquisser une philosophie qui soit à la hauteur de la sueur et du sang qu'a coûté l'histoire humaine. Une vision à hauteur d'homme, plébéienne, que je n'aurais pas honte d'énoncer devant le plus souffrant, le plus épuisé, le plus misérable d'entre nous, mais aussi une conception que je me sentirais en droit d'exposer à d'éventuels extraterrestres, ou même à un être divin, qui l'exigeraient de moi. Cela suppose diverses contraintes. Ainsi, je devais reconnaître d'un mot ma dette infinie à l'égard de tous les penseurs qui nous ont précédés et de tout ce que le savoir humain accumulé au cours des siècles m'a apporté, mais je n'y reviendrai pas et je n'écrirai pas ici d'aperçus, même succincts, d'histoire des idées.

Je suis un animal terrestre, curieux, sociable, affairé et craintif, dont la boîte crânienne regorge de signes et de pensées — mystérieusement codés dans les réseaux de cellules électriques de mon cerveau. C'est pourquoi, sentant ma fin se rapprocher doucement, j'aimerais formuler ici le peu que je sais (ou crois avoir appris et compris) de significatif sur le monde et la vie, modeste accomplissement grâce auquel je pourrais à tout le moins entretenir l'impression d'avoir fait mon possible pour tirer, sinon le meilleur, du moins *quelque chose* de moi-même et de l'héritage que toute l'humanité antérieure m'a légué.

J'appartiens à une espèce vivante, l'espèce *Homo sapiens sapiens*, comme disent les spécialistes de ces matières. À ce qu'on rapporte, comme je l'ai signalé en commençant, nous serions plus de six milliards de ces *primates parlants* sur la planète — chiffre qui, à dire vrai, me paraît simplement inimaginable. Pour me convaincre tant bien que mal de sa signification concrète, j'essaie de ne jamais perdre de vue que cela se traduit *à chaque minute* par environ 100 morts (approximativement 1,66 par seconde) et 260 naissances (4,33 par seconde)! Il m'est arrivé d'imaginer ainsi un gigantesque écran, du genre «cinéma Imax», sur lequel scintilleraient six milliards de petites lumières clignotantes, avec une zone d'entrée en haut à gauche et une de sortie en bas à droite, où l'on pourrait voir à chaque seconde respectivement apparaître les 4,33 nouvelles étincelles de vie humaine naissante et disparaître les 1,66 qui s'éteignent.

Je ne sais si beaucoup de nos cerveaux seraient capables d'endurer longtemps un tel spectacle. Je parierais plutôt que mes semblables et moi, nous ne survivons moralement qu'en oubliant de tels chiffres, vertigineux et inhumains à nos yeux, dont une trop nette prise de conscience banaliserait tellement notre sentiment habituel d'importance que cela ne nous serait guère supportable, sans parler des risques possibles quant à la promotion du respect éthique envers toute vie humaine… (Staline: «Trois morts, c'est une tragédie; cent mille morts, c'est une statistique.»)

Quoi qu'il en soit, on peut donc dire que sur le plan de la connaissance abstraite la loterie de la vie et de la mort nous est désormais connue avec une assez grande précision objective, mais que nous n'avons pas été convenablement équipés (par l'évolution naturelle ou le plan divin, peu importe ici) pour y faire face de façon intuitive sans avoir à en payer un prix ne nous paraissant pas trop élevé.

Selon moi, il n'est pas invraisemblable que cette infirmité constitutionnelle ait quelque rapport avec la prolifération, à la fois séduisante et inquiétante, de croyances ou de fantasmes qui forme l'une des principales caractéristiques de la culture humaine. Certes, tout indique qu'une part de notre pensée est heureusement vouée, de par les nécessités pratiques de l'existence, à la recherche d'une représentation adéquate de nous-mêmes, des autres, ainsi que du monde naturel qui nous engendre, nous permet de survivre et qui, tôt ou tard, finira vraisemblablement par nous écraser. Mais cette part n'épuise pas, loin s'en faut, tout le contenu de ce que nous appelons nos esprits.

En effet, *Homo* est un être de désir et de symboles, de rêveries et d'imagination, de délire et d'espérance, de passion et de crédulité, autant sinon davantage que de connaissance, de réalisme et d'objectivité. Il est en outre, en particulier durant son enfance, malléable à presque toutes les suggestions distillées par son milieu culturel, familial et social. C'est ainsi que, non content d'apprendre tant bien que mal ce qu'il peut par le biais des sens, de la perception, des expériences et de la pratique — aidées de l'observation active, du raisonnement, de l'expérimentation contrôlée et systématique, sans parler d'hypothèses ou de théories passées et présentes —, chacun de nous risque fort de voir son esprit peuplé également de mythologies et de fables, de dogmes et d'actes de foi qui sont, le plus souvent, ceux de la tribu à laquelle il se trouve appartenir. Les sociétés animistes produisent des esprits animistes, la très grande majorité des enfants du monde musulman inclinent irrésistiblement à l'islam, ceux d'un certain Orient acceptent «naturellement» le tao ou le yin-yang, et ainsi de suite.

La diversité de ces convictions, aussi invérifiables que nourricières, est extrême en apparence, et les contra-dictions de l'une à l'autre sont légion. Cela n'empêche pourtant pas d'y relever des constantes relatives: une certaine forme d'au-delà de la mort, un ordre surnaturel explicatif et intelligible jusque dans son insondable mystère, une place et une mission pour l'humain dans quelque drame cosmique ou surnaturel, une source transcendante de sens et de valeur, une origine et une fin ultime suffisamment «compréhensibles», le sentiment de faire l'objet d'une certaine sollicitude de la part d'une ou plusieurs entités englobantes et puissantes, ainsi que des règles de vie appuyées sur une tradition ou une autorité supérieures (et donc relativement sécurisantes).

Quelle que soit la validité de telles pensées, on peut se convaincre sans peine qu'*Homo* en a la plupart du temps bien besoin : sans elles, il faut avouer que sa vie est faite en large partie de solitude et de souffrance, d'inquiétude devant les aléas de son destin et la fragilité de ses soutiens, de doutes quant à l'absurdité possible de son séjour terrestre ou la vanité de sa carrière personnelle en ce bas monde et, pour couronner le tout, de la catastrophique conscience d'une mort imprévisible tant pour soi-même que pour nos êtres chers, avec la peur de la disparition qui en découle. En ce sens, je dois reconnaître que les prêtres de mon enfance n'avaient pas entièrement tort d'attribuer à l'orgueil et à la méchanceté un rôle générateur dans toute prise de position athée. L'incroyance aurait beau être aussi fondée que l'on voudra en raison et en vérité, il n'en resterait pas moins assez vraisemblable psychologiquement de soupçonner quelque chose de sadique et de cruel dans sa divulgation polémique, dont je me suis moi-même rendu maintes fois responsable.

Cela dit, n'oublions pas que, réciproquement, le même genre d'hypothèse généalogique et soupçonneuse, postulant une semblable imputation de vice moral, n'épargnerait pas davantage mages et gourous, clercs et maîtres spirituels, qui ont eux aussi apporté tant de fois la preuve de leurs désirs de puissance, de domination, d'exploitation ou même de destruction. S'il y a bel et bien quelque chose d'agressif et d'autosatisfait chez l'irréligieux militant, ne risquerait-on pas de dénicher au moins autant de noirceur psychique dans l'attitude crédule, dominatrice, sécurisante et dogmatique de bien des croyants? Dans une telle éventualité, ce n'est donc pas en se situant sur le plan d'une analyse des motivations psychologiques secrètes des uns ni des autres qu'on pourrait jamais espérer trancher valablement en ces matières, à supposer que cela soit possible.

Pour ma part, sur le fond, les choses m'ont depuis longtemps paru claires. Toute interprétation spiritualiste et surnaturelle de la vie suppose un renversement extrêmement curieux, paradoxal et improbable, puisqu'elle nous contraint à penser que ce qui en vérité existerait le moins (les apparences physiques) serait pourtant ce qui s'impose le plus indubitablement à nous mais que, à l'inverse, la réalité suréminente et absolue (par exemple une déité transcendante) serait curieusement ce qui se manifeste le moins… En effet, sur la base de notre expérience subjective de sa présence, de son insistance, de ses intrusions, nous avons de très puissantes raisons de croire qu'il existe autour de nous (et en nous) un monde matériel ou naturel, fini, corruptible ou changeant, imparfait — et passablement indifférent à nos désirs et attentes.

Au contraire, ce qu'impliquent diversement la plupart des grands discours religieux, c'est que l'univers de notre expérience ne serait en dernière analyse qu'une illusion ou un dérivé ontologiquement inconsistant, auquel nous limiteraient notre ignorance, nos désirs ou quelque autre intrinsèque imperfection attachée à notre condition. Divers maîtres spirituels, prophètes, illuminés ou sages auraient heureusement pu appréhender qu'à sa source, ou derrière son avers, il se trouverait quelque mystérieuse présence spirituelle, unité primordiale échappant au langage commun et cependant donatrice ou créatrice de la multiplicité des apparences sensibles, simple tissu dégradé d'erreurs et de misères. Vide, absente ou cachée pour la coutumière conscience bornée, cette sphère surnaturelle n'en serait pas moins remplie de potentialités infinies, principe surabondant de tout être, grâce aimante et pure lumière se diffusant par une sublime émanation ou procession, énergie ineffable à l'œuvre en toute chose, bien qu'en soi si parfaite et infinie qu'elle en deviendrait inconnaissable et inaccessible pour notre faible raison, finie et impuissante. Car le genre humain serait ordinairement dominé par l'aveuglement et la propension au mal, même s'il subsistait également en lui, plus ou moins endormie, une certaine part divine, apaisée et pure, âme emprisonnée dans la prison de la chair, fragment détaché de l'Esprit suprême et du Logos créateur, apte chez certains élus à appréhender que le divin soit incompréhensible et à saisir qu'il soit invisible, insondable abîme de silence en même temps que source jaillissante de vie.

Comme l'écrit Francesco Alberoni, à côté de la conception rationnelle et scientifique des choses, il y a ainsi une tout autre vision, qui s'oppose à la première comme le sacré au profane, «une façon de voir le monde comme mystère, tout événement y étant le fruit d'une volonté, d'un dessein secret, et donc doté d'un sens moral, d'une valeur. Un monde où tout est miracle et grâce. Un univers où les lois naturelles ne sont que la manifestation extérieure d'une puissance créatrice qu'on ne peut trouver dans un laboratoire, mais seulement quand elle décide de se révéler, et qui ne saurait être comprise au moyen du raisonnement mais uniquement par un élan du cœur, de l'amour, de la foi [27].»

Dans cette logique, la délivrance consisterait donc en la reconnaissance par l'humain de sa véritable essence secrète, originellement divine, et en une symbiose ultime avec l'ordre cosmique profond, source d'une indicible béatitude éternelle. Tout ce qui naît de l'unité divine demeurant obscurément contenu en elle et ne pouvant manquer d'y revenir comme à son bien intime, la pensée humaine serait capable de se retourner du dehors vers le dedans et de découvrir ainsi son noyau surnaturel, la trace du divin en soi et son identité ultime avec Lui (*tat tvam asi* — tu es ceci), expérience mystique procurant une joie et une libération parfaites, le sujet étant transfiguré par les énergies infinies auxquelles il s'ouvre dans l'extase, la méditation ou la prière et qui lui permettraient de sortir de soi pour pénétrer dans l'éternité et s'unir avec l'Un.

Du point de vue conceptuel et philosophique, le raisonnement fondamental à l'appui de toutes les conceptions transcendantes de cette espèce, c'est toujours en dernière analyse 1) la reconnaissance d'un certain *ordre* intelligible déchiffrable dans les réalités naturelles (des lois, des structures, des systèmes, un plan, une organisation, une direction, un sens, une harmonie, une finalité, etc.) ; 2) l'appel à la nécessité inductive d'attribuer l'origine et l'explication de cet ordre à l'efficace d'une cause qui soit à sa hauteur. «Pas d'horloge sans horloger» reste, pour l'exprimer de manière traditionnelle et imagée, en simplifiant un peu les choses, le dernier mot de cette logique ontothéologique.

Seulement voilà. Mis à part leur incontestable dimension poétique et la particularité cruciale qu'ils flattent toujours, au bout du compte et après maints détours, nos sentiments trop humains d'importance (à nous, sous quelques conditions point trop décourageantes, la possibilité de l'immortalité, du salut ou de la fusion en l'Absolu!), tous ces scénarios mirobolants, en dépit du fait qu'ils aient régné presque sans partage sur les plus grands esprits durant des millénaires, n'ont finalement rien de bien probant, clair, vraisemblable, convaincant ou solide en leur faveur. Ils laissent en effet suspendue dans le vide, comme une énigme gratuite et inintelligible, la réalité trop manifeste, irréfutable et envahissante — mais devenue scandaleusement injustifiable — de l'imperfection, du mal, de la matière corruptible, de la conscience raisonnante commune, de la finitude et de la mort. Je n'ignore pas qu'une «explication» spiritualiste *ad hoc* consisterait à les interpréter comme épreuve, punition ou détour: le monde serait le théâtre, imparfait mais en cela même adapté à sa fonction, de notre cheminement spirituel, que l'absence de menaces, de pièges, de difficultés et d'obstacles rendrait impossible.

Il reste que le recours à un suprême horloger est d'autant plus impératif et crédible que l'horloge fonctionne mieux. Si l'horloge est chaotique, aléatoire, incohérente, les choses deviennent passablement moins évidentes. Si une horloge sur cent mille milliards fonctionne, la possibilité d'une imputation causale de type statistique apparaît plus vraisemblable. Si ordre et désordre se font concurrence à très grande échelle, si l'ordre lui-même semble en bonne partie relatif et incertain, si le désordre l'emporte de loin sur les zones d'ordre, la force du raisonnement ontothéologique s'en trouve, bien sûr, fortement grevée. Quelques acrobaties verbales réussissent, tant bien que mal, à rendre plus ou moins crédible la possibilité d'une procession du multiple à partir de l'Un transcendant. Mais il risque de devenir indispensable de recourir soit au mystère total, soit à une périlleuse négation complète du monde des apparences naturelles, soit encore à une dualité bien embarrassante des principes ultimes, pour parvenir de manière le moindrement compréhensible, sur la base de la perfection d'un Être suprême, à rendre compte de l'omniprésence du chaos, du désordre, de l'imperfection, de la décomposition, de la corruption, de la dégradation, de la douleur, du mal et de la mort qui caractérisent notre univers. Le grand «Fait-Tout» cesse d'autant plus d'apparaître comme créateur avisé et bonne intelligence ordonnatrice que la «création» se révèle davantage aléatoire, dégénérescente et confuse.

Que la pure lumière de l'Amour infini et l'inexprimable perfection de l'Esprit absolu aient résolu d'engendrer un cosmos insubstantiel, mi-ordonné mi-chaotique, et d'y infliger à des innocents d'invraisemblables souffrances (comme faire mourir de leucémie des enfants de trois ans), voilà qui à mes yeux annule d'un trait tous les supposés bénéfices spirituels de la foi en une déité réputée toute-puissante, mais incompréhensible, cachée, inaccessible et muette. L'hypothèse contre-intuitive de son existence, qui en fin de compte semblerait bien séduire avant tout par sa vertu d'explication consolatrice, se révèle toujours exiger de nous l'adhésion à un pur non-sens (le problème du mal, du désordre, de la mort), et même incomparablement plus grave que celui auquel il s'agissait au départ d'échapper. *Credo quia absurdum*, répliquent alors certains croyants. Mais s'il faut, au bout du compte, nous résigner à croire en une conception que nous ne parvenons pas vraiment à comprendre, pourquoi ne pas préférer plutôt une «absurdité» toute relative, visible et tangible mais pas spécialement illogique (l'univers et la vie existant sans cause transcendante ni raison fondatrice, par simple enchaînement de hasard et de nécessités naturelles immanentes), qu'à une absurdité ténébreuse, abyssale, parfaitement incertaine et de surcroît aussi révoltante et impénétrable pour nos cœurs que pour nos intelligences — pourtant eux-mêmes censément issus de la déité infiniment bonne et parfaite, ne l'oublions pas.

Incapable d'admettre que ce qui *est* le plus éminemment soit ce qui se manifeste le moins, ni que la matière, la dégradation et le mal puissent être l'œuvre d'une hyperbolique bonté, je suis tranquillement devenu athée vers l'âge de douze ans et n'ai plus cessé de l'être. Quand on me reproche, comme le fit un jour un de mes jeunes élèves musulman, d'avoir ainsi mis volontairement de coupables œillères à mon esprit, je me console en lisant dans le Coran, au sujet des incroyants, que c'est «Dieu [qui] a scellé leurs cœurs et leurs oreilles» (2, 7) ou encore que «Dieu guide vers Sa lumière qui Il veut» (24, 35). N'y est-il pas écrit également (76, 29-30): «Que celui qui le veut prenne donc un chemin vers le Seigneur; mais vous ne voudrez que si Dieu le veut» et aussi (42, 13): «Dieu élit et rapproche de Lui qui Il veut»?

Bien sûr, je ne me figure pas en avoir fini avec la croyance religieuse en écrivant ce qui précède. Car je suis convaincu que la religiosité diffuse qu'on peut aisément discerner dans nos sociétés, libérales et pluralistes à l'extrême, relève en partie d'un tout autre niveau de logique que celle des théologies savantes que je viens d'évoquer. En effet, la foi vécue par la plupart des gens paraît avant tout faite de sentiment et d'intuition, et elle porte de préférence sur des entités plus proches et moins abstraites, bien qu'aussi évanescentes et douteuses. Sa source occasionnelle est souvent l'appréhension de la mort, tout spécialement le désarroi devant la disparition d'un être cher et l'impression que sa présence se manifeste après son décès. Le thème récurrent d'une aide et d'une protection que de tels esprits apporteraient de l'au-delà aux vivants, me pousserait volontiers à dire que l'embryon actuel de toute pensée religieuse (c'est-à-dire, au sens le plus large, de conviction de la présence et de l'action d'une sphère surnaturelle) réside en partie dans une sorte de *culte des défunts* privé et implicite, les autres puissances surnaturelles semblant en général calquées sur cette première forme familière de présence spirituelle vécue, qu'il s'agisse des anges gardiens, des saints ou des personnages divins ou divinisés (que ce soit Jésus, Krishna ou les bodhisattvas).

Ce minimalisme spirituel, auquel la liberté totale des croyances a été si favorable, nous offre ainsi une sorte de réduction eidétique *in vivo* de la religiosité. Le noyau de la foi serait simplement: «Une puissance ou quelqu'un d'invisible m'aime, me guide, me protège, me connaît, m'écoute, me rassure et m'est garant à la fois que ma vie n'est pas délaissée et que mon existence comme celle des personnes qui me sont chères ne prendra pas fin abruptement (et absurdement) à la mort de nos corps physiques.» Il ne s'agirait pas là d'abord d'un énoncé théorique, mais bien d'un mouvement affectif, d'une impression subjective, d'une émotion ressentie, d'une conviction aussi implicite que vitale. Cette religiosité basale, sans prêtres ni dogmes ni Église mais qui, au-delà des discours théologiques, survit quotidiennement dans tous les temples établis du monde — sans laquelle d'ailleurs ils ne seraient rien — fait rarement l'objet de discussions de la part de nos penseurs philosophiques, pour deux raisons au moins. La première, c'est que la pensée en question est en fin de compte si faible, si naïve, si infantile, si invraisemblable et si pauvre qu'elle défie la critique. La seconde, c'est qu'elle est si intérieure, si émotive et si forte qu'elle impose au critique le silence poli dû au respect des personnes. S'il est vrai que la religiosité fondamentale soit ainsi faite de l'expérience vécue d'une forme personnelle de providence surna-turelle, expérience qui ne recherche pas prioritairement une expression conceptuelle ni ne réclame de légitimité théorique, alors on peut croire que l'athéisme philosophique et la critique intellectuelle de la religiosité risquent toujours, en un sens, de manquer leur cible. Ce type de sentiment religieux, entendu globalement, n'est pas prêt de s'éteindre ni de fléchir sous les coups de boutoir de la raison. Il continuera de prospérer, inentamé, dans le cœur de tous ceux qui, par exemple, «sentent» qu'un être cher disparu (ou, par extension, un «ange gardien», un saint ou même quelque divinité suffisamment humaine et familière) les accompagne secrètement en cette vie, attentif à leur destinée personnelle, présent depuis une «autre dimension» relativement indéfinie mais néanmoins intensément ressentie. Cet animisme anthropomorphe et égocentrique, pour fantasmatique et vaguement délirant qu'il soit, est appelé à demeurer d'autant plus inattaquable qu'il est plus primitif, plus déraisonnable, plus intime et plus invétéré[28].

Pourquoi, demandera-t-on peut-être, parle-t-il tant de la religion?

C'est qu'«en tout lieu et en tout temps, la religion a servi à donner un sens à la mort[29]».

Plus grave, peut-être, «d'une certaine manière, [les religions] ont pour fonction de nier la mort. Toutes [...] viennent nous dire qu'il y a une vie après la mort, alors que nul n'en sait rien[30].»

Avouons le sans hésitation: il serait curieux que des éléments de sagesse valables et humains ne se soient pas mêlés aux spéculations religieuses sur la mort. Des leçons d'humilité, de courage, de sérénité, d'acceptation des souffrances inévitables, de compassion, de générosité, de résignation, de détachement et de confiance en la vie, par exemple. Nul ne devrait le nier. Mais tout cela ne change pas grand-chose quant au fond, c'est-à-dire quant à la croyance en une survie «surnaturelle», qui forme la plupart du temps le noyau dur et, si l'on peut dire, le *propre* de telles spéculations.

La perspective certaine de la mort pourrait mêler à la vie une goutte délicieuse et parfumée de légèreté[31].

Nietzsche

Botho Strauss a écrit: «La maladie exempte de douleur serait peut-être l'état physique de loin le plus désirable, celui qui nous ferait sentir le maximum de l'existence, une plénitude plus grande, par l'accompagnement doucement inspirant de la mort; alors qu'un être en bonne santé ne peut se défendre du sentiment que la vie ne lui en donne pas assez[32].» Ma modeste expérience me suggère que cette hypothèse est en partie infondée. J'ai vécu vingt ans avec, réunies en moi par suite d'une infirmité acquise, d'origine auto-immune, les conditions objectives d'une mort certaine et relativement rapide, qu'il me fallait conjurer chaque jour au moyen de tant de milligrammes d'hormones de synthèse, absorbées à dose physiologique de remplacement. Le facteur que me semble avoir sous-estimé Botho Strauss, c'est le rôle du temps et de l'habitude. Une maladie potentiellement mortelle, si elle ne fait pas souffrir et si la science médicale et les techniques pharmacobiologiques savent la maîtriser ou la contrôler, se fait vite oublier. L'état que décrit notre auteur ne peut vraisemblablement être qu'un état d'exception, passager.

Il y en a qui trouvent profondes des propositions du genre de celle-ci: «L'Être donne l'être aux étants.» Je les trouve pour ma part d'un ridicule consommé.

Par contre, je dois avouer que je trouve assez profonde la pensée suivante : «Rien n'arrive jamais comme on se l'était imaginé» (tirée du film *Gertrud*, de Carl Dreyer).

Malgré tout, une seconde de réflexion suffit à me faire réaliser sa fausseté, puisqu'on peut estimer vraisemblable qu'il s'avère régulièrement, au contraire, que certains événements se déroulent exactement comme certaines personnes l'avaient imaginé... Moi-même, sans trop savoir pourquoi d'ailleurs, je me suis imaginé durant toute ma vie d'adulte que j'allais probablement mourir aux alentours de 2004.

Et pourtant, en un sens, il me paraît malgré tout éclairant et juste d'attirer notre attention sur le fait que, même dans ces cas où nous avions prévu dans les grandes lignes ce qui se produit, il y a presque toujours (nuance) un quelconque décalage, si minime et inapparent soit-il, qui vient nous surprendre et nous abattre, nous exalter ou nous transporter.

Quoi qu'il en soit, quand je songe aux péripéties des dernières années de ma vie, je ne peux que me répéter, je dois bien l'avouer, que bien des choses n'arrivent pas du tout comme on s'y attendait.

Je crois bien que je vais quitter ce monde en restant convaincu que les chrétiens se trompent : l'«amour du prochain» est au mieux une illusion, au pis une force potentiellement maléfique et destructrice. Je préfère cent fois le respect des droits et la justice.

Les mots les plus doux à entendre ne sont pas du tout «Je t'aime» mais «C'est bénin».

Woody Allen

Depuis quelque temps, beaucoup de gens, que ce soient des amis ou des médecins, me disent avec conviction et compassion : «Nous sommes tous en sursis, je peux mourir avant vous, un accident est si vite arrivé…»

Certes, je suis conscient qu'ils sont gênés devant mon malheur et qu'il leur faut bien prononcer quelques paroles rassurantes. Mais malgré tout, quelque chose cloche, même si la politesse m'empêche en général de leur en parler. Car leur affirmation est vraie en un sens, mais elle est aussi tellement partielle qu'elle en devient fausse.

En effet, elle passe sous silence la différence psychologiquement vécue entre *possibilité abstraite indéterminée* et *fait actuel certain*. Bien entendu, lorsque quelqu'un entre dans le bureau du médecin qui va lui annoncer qu'on a découvert chez lui un cancer généralisé incurable, il n'ignore pas complètement que la possibilité de la mort le guette un jour, mais comme il n'avait jusqu'ici aucun motif apparent, raisonnable et immédiat d'y penser, il pouvait l'écarter mentalement et la reporter aux calendes grecques. Agir autrement et craindre chaque jour la mort serait clairement pathologique (thanatophobie).

À cet égard, le rôle de la philosophie, sans être de nous faire perdre la mort de vue, consisterait plutôt à la remettre à sa juste place. Comme l'a, paraît-il, remarqué un jour Jean Wahl : «L'oubli de la mort est nécessaire. Il y a la mort, sans doute, mais il y a la vie. Et vivre, c'est oublier qu'on mourra[33].» Jusqu'à un certain point, en effet, il est sain, normal et bon de vivre comme si nous ne devions pas mourir dans un délai intuitivement envisageable. (Mais *jusqu'à un certain point* seulement, puisque cela ne devrait quand même pas nous empêcher de contracter à temps une assurance sur la vie ni de rédiger notre testament.)

Il semble, par contre, assez évident que les paroles du médecin vont transformer radicalement la situation : car cette fois, j'apprends tout à coup que la mort est réellement là, en moi, déjà à l'œuvre, et donc qu'il ne s'agit plus pour moi d'une simple probabilité indéterminée dans le temps, mais au contraire d'une certitude actuelle et factuelle, matériellement inscrite de façon objective dans mon avenir à court terme.

Honnêtement, je ne parviens pas à imaginer un patient ressortant paisiblement du bureau du médecin qui vient de lui signifier un tel verdict, en se disant : «C'est parfaitement normal, je le savais depuis toujours, ça devait arriver, n'y pensons plus», etc. Celui qui réagirait sans aucune émotion particulière et continuerait de vivre tranquillement comme si de rien n'était ne serait pas un être humain normal, si j'ose dire. Un semblable coup de massue ne peut laisser personne impassible. Devant une telle nouvelle, «tout bascule», comme on dit : tout bascule dans l'angoisse, tout bascule dans une conscience plus aiguë de la fin inexorable — du moins pour l'homme prométhéen et individualiste de nos sociétés modernes, car dans les cultures traditionnelles, le fatalisme et la résignation à l'inévitable ont été inculqués dès l'enfance.

Il est clair que la différence entre les bien-portants et le malade qui se sait condamné *n'est pas* que l'un va mourir et pas les autres. Tout le monde va mourir. La différence cruciale, c'est que pour l'un il faut désormais vivre consciemment avec la certitude de la maladie mortelle effective et de la fin prochaine inéluctable, alors que pour les autres l'espoir de continuer à vivre normalement durant un temps appréciable peut et doit l'emporter sans difficultés, ce qui équivaut à une sorte d'immortalité temporaire, si l'on me passe cet oxymoron.

Il serait donc faux de prétendre que nous serions tous, intérieurement, logés à la même enseigne. Contrairement à celles de l'hypocondre, l'angoisse, la peur, la révolte ou la déprime du patient qui se sait condamné ont quelque chose de naturel et de compréhensible [34].

On me dit quelquefois : «Soixante ans, mais c'est bien jeune pour mourir!»

Heureusement pour moi, je ne le ressens pas ainsi. J'ai toujours pris au sérieux la formule humoristique voulant qu'«après cinquante ans, il est trop tard pour mourir jeune». D'ailleurs, le jour de mes cinquante ans, j'ai adhéré à la Fédération de l'âge d'or du Québec. Par chance, je suis même retraité depuis quelques années.

Certes, n'étant pas idiot, je ne soutiendrais pas qu'on ne puisse pas mourir beaucoup plus vieux. Mais je ne pense pas non plus être si «jeune» qu'on le prétend.

J'ai dit plus haut que l'un de mes regrets aura été de ne pas avoir suffisamment expliqué ma conception d'un travail philosophique collectif. Un autre concernerait la pensée politique.

J'aurais voulu mieux exprimer ma vision selon laquelle la politique est avant tout résolution de problèmes (cette «résolution» étant à la fois dialectique et pragmatique) dans un contexte de relations de pouvoir complexes et d'intérêts divergents, voire «irréconciliables». Les temps forts en seraient : a) le diagnostic, mené en public selon une démarche pluraliste et dialogique ; b) sur la base de nos valeurs et idéaux les plus consensuels, le recours à des leviers institutionnels et sociétaux multiples propres à favoriser l'atteinte négociée d'une «solution» temporaire, en tentant de respecter à la fois le souci du *juste* et celui du *bien*, qui n'ont rien de contradictoire ; c) la visée d'un dépassement progressif des limitations imposées par les rapports de forces existants — le tout accompagné d'un renoncement lucide au fantasme destructeur d'un prétendu ordre idéal, parfait, non conflictuel, immédiat et stable.

Les excès de la compétitivité et les effets pervers du capitalisme mobilisent notre sens de la justice et de la mesure. Le désastre environnemental et la catastrophe démographique suscitent l'inquiétude et la réflexion critique. Les poussées de passions violentes relevant du racisme, de l'intégrisme et du nationalisme se heurtent au désir de vivre en harmonie fraternelle et dans le respect des droits humains élémentaires. La montée de la puissance guerrière, l'exacerbation des conflits, le développement de la force brute, la tentation de l'action violente et le terrorisme réveillent l'aspiration à la paix et à la sécurité.

S'il y a d'un côté l'individualisme et la massification, l'uniformisation médiatique de la pensée, la malhonnêteté, l'aggravation des inégalités planétaires et les folies humaines, on trouve aussi de l'autre côté la capacité de discussion critique et de prise de conscience, la volonté de lutter pour sa dignité, le désir des jeunes de changer le monde, la progression des pouvoirs associatifs, la lente consolidation des principes démocratiques de l'État de droit, la revendication de libertés positives et substantielles (et non plus seulement de libertés formelles), etc.

Une telle grille est assurément embryonnaire, mais j'avais l'illusion de pouvoir développer sur cette base une perspective d'analyse éclairante et fructueuse.

Décidément, je n'aurais jamais dû me lancer dans cette affaire des regrets que j'ai ou pas à la veille de tirer ma révérence, car j'ai peur qu'il m'en vienne sans cesse un nouveau. Par exemple, Freud et ses théories psychanalytiques. J'y ai fait allusion un peu plus haut. Je regrette de ne pas avoir pris la peine d'expliquer pourquoi, malgré les excès et les égarements des mouvements psychanalytiques après Freud, et malgré les faiblesses et les erreurs de Freud lui-même, je reste convaincu que la pensée du fondateur demeure en bonne partie importante et valable.

Pour moi, Freud n'est absolument pas le charlatan irrationnel que dénonce (avec beaucoup d'autres) mon maître Mario Bunge. C'est un esprit positif, naturaliste et rationaliste. C'est aussi l'inventeur d'une problématique riche et féconde pour l'étude de l'esprit et de la conduite humaine. Certes, après un siècle, son système tel qu'il l'a lui-même formulé nous apparaît dans une large mesure comme daté, spéculatif et douteux. Mais cela ne l'invalide certainement pas en tant que programme de recherches.

L'une des meilleures lectures que je connaisse en ce sens, c'est le petit livre peu connu de Stan Draenos [35], que j'ai longtemps envisagé de traduire en français: *Freud's Odyssey. Psychoanalysis and the End of Metaphysics* (New Haven, Yale University Press, 1982). Je crois que je ne saurais faire mieux et je ne peux qu'inviter mes lecteurs à aller en juger par eux-mêmes.

D'ailleurs, même si l'on décidait de les prendre une à une, toutes les hypothèses de Freud sont loin d'avoir été réfutées. Pour s'en convaincre, il suffit d'examiner attentivement, par exemple, le panorama (pourtant incomplet) de Seymour Fisher et Roger P. Greenberg: *Freud Scientifically Reappraised. Testing the Theories and Therapy* (New York, Wiley, 1996) [36].

Bien entendu, je me rangerais facilement aux arguments des sceptiques ou des adversaires de la psychanalyse s'il n'était question que des dérives des institutions psychanalytiques au vingtième siècle ou de la très faible valorisation de l'esprit et de la méthode scientifiques parmi la gent psychanalytique. Mais cela est une autre histoire, qu'il importe de ne pas confondre avec le procès de Freud.

J'avoue que j'ignore quelle place les idées issues des spéculations et des travaux de Freud occuperont dans l'ensemble de la psychologie de l'avenir: si l'on se fie aux dernières décennies, je ne serais pas surpris qu'elle soit très modeste, pour dire le moins, et que ce qui en restera ne soit un jour devenu passablement méconnaissable. Mais ce n'est pas le point qui me préoccupait. Je tiendrais seulement à ce que Freud ne passe pas, spécialement auprès de philosophes naturalistes et scientistes, pour un vulgaire charlatan.

Au fait, je n'ai pas tant de regrets que je le croyais en ces matières. Ce que j'avais à dire tient en peu de mots.

J'ajouterai seulement que, personnellement, dans l'état actuel des connaissances, je crois assez peu à l'hypothèse d'une étiologie psychique en oncologie. *Mars* de Fritz Zorn est assurément un livre passionnant, mais il n'empêche que la plupart des cancers semblent bien le résultat d'une série de facteurs purement génétiques, environnementaux (chimiques) ou biologiques (viraux). Quant à moi, je parierais qu'il y a infiniment plus de cancers dus à la pollution de l'eau ou de l'air, aux additifs alimentaires, au teflon, au plomb, au benzène ou à la nicotine, aux rayons X ou à la radioactivité artificielle et ainsi de suite, qu'au refoulement ou à l'anxiété[37]. Je donnerais donc raison à Susan Sontag lorsqu'elle dénonce les abus de la psychologisation dans *La maladie comme métaphore* (1977)[38].

Mais je ne suis pas un spécialiste et, naturellement, divers liens entre stress et troubles biologiques ne me paraissent pas exclus, tout dépendant des définitions du «stress» retenues.

Ce dont je suis certain, c'est que l'hypothèse superficielle d'une psychogenèse des maladies ne conduit que trop aisément au mythe d'une guérison psycho-induite : toute une littérature «populaire» ou demi-savante prolifère ainsi autour du thème vaguement délirant d'une soi-disant autoguérison, qui malheureusement contribue surtout à culpabiliser et à nourrir d'illusions absurdes des milliers de patients mal informés[39]...

Pour la conscience humaine, l'univers appréhendable peut apparaître comme un chaos dynamique en voie de structuration créatrice, notre monde étant un ordre partiel en train de se faire. La joie ne serait-elle pas le sentiment qui marque toute participation vécue à cette aventure incertaine, inachevée et fragile, lorsque des îlots de plénitude d'être et d'accroissement de sens l'emportent sur le désordre, l'absurdité et la destruction qui les côtoient et les menacent sans cesse ? (C'est ce que, durant mon fatidique été 2004, j'avais appelé pour mon usage personnel l'«idée de Bologne», cette intuition m'étant venue à l'esprit durant une nuit passée là, en écoutant tintinnabuler dans le lointain un petit carillon oriental. Je rêvais alors d'en tirer un livre de métaphysique, qui ne verra jamais le jour, portant sur la *dialectique de l'ordre et du désordre*.)

Sauf quelques malades ou des hommes très malheureux, personne n'appelle la mort de ses vœux : on la subit, on s'y résigne, on ne la désire pas.

Guy Fau

Depuis que je sais que le cancer va me tuer, il m'arrive de régresser au rang de petit animal apeuré, tel un rat dans une souricière. Malgré Épicure, Lucrèce, Montaigne et tant d'autres, je n'ai aucune honte de cette peur de mourir. Elle vient des tripes et n'est qu'une manifestation, normale et probablement inévitable, d'un désir primaire de vivre. Cet «instinct de conservation» n'a rien de méprisable. Nous sommes des êtres vivants. La vie est tout ce que nous connaissons, tout ce que nous avons, tout ce que nous sommes. Nous y tenons comme au plus précieux des biens.

À l'hôpital romain de San Giacomo où j'ai appris l'été dernier que le cancer avait récidivé et que mon cas était désormais très grave, je partageais avec un certain *signore* Uberto X. la salle de l'urgence où j'ai passé l'après-midi et la soirée. Il était là comme patient, au même titre que moi, mais il se trouve que c'était aussi le directeur administratif du service de prévention en santé mentale de ce même hôpital — il prétendait d'ailleurs que ses deux prédécesseurs étaient devenus fous!

Nous avons parlé des heures durant, un peu en français, beaucoup en italien. L'un de nos sujets tournait autour de la foi, qu'il avait ravivée ou retrouvée après avoir survécu à un infarctus. Lorsqu'il a su que j'étais un irrécupérable athée, il m'a dit: *Lei è più coraggioso di me* («vous êtes plus courageux que moi»).

Je n'en crois rien, évidemment. On n'est pas athée par courage. Mais j'admets que la mort paraît souvent plus facile à apprivoiser pour ceux qui croient profondément en une survie de la personne ou de l'«âme». À leurs yeux, la mort peut bien sembler un passage extrêmement pénible, mais en dernière analyse ce n'est quand même qu'un passage. L'essentiel d'eux-mêmes ne mourra pas. Ils peuvent donc *espérer* — par exemple, rêver de retrouvailles dans l'au-delà avec les êtres qui leur sont chers.

L'athée ne le peut pratiquement pas. Pour lui, sa mort sera une fin absolue et sans appel. Une petite fin de monde. La fin de son monde et de lui-même. Certes, il lui est possible de s'y résigner ou de l'accepter. Il peut même se convaincre qu'une autre solution aurait, tout bien considéré, plus d'inconvénients que d'avantages (une éternité d'ennui serait un insoutenable calvaire ; notre finitude pourrait en quelque sorte contribuer à ajouter un surcroît de valeur à nos vies, etc. [40]). Mais il ne lui est plus loisible d'espérer grand-chose pour lui-même.

Se pourrait-il que l'approche de la fin nous incite à valoriser davantage l'instant présent, à mieux apprécier les plaisirs petits et grands, à cultiver nos meilleurs souvenirs, à fêter toutes les bonnes choses que la vie nous a accordées et nous accorde encore, à consentir à notre destinée et à ressentir, envers l'univers entier, une sorte d'indulgence inédite ?

Il est vrai, par ailleurs, que les phases où il en est ainsi risquent fort d'alterner avec d'autres où un voile de nullité, de peur et de grisaille semble recouvrir toute chose.

Moi qui ai souvent plaidé pour une approche scientifique, je me contredis certainement en ne livrant ici même qu'un simple témoignage personnel, et sur un mode assez littéraire en somme. C'est pourquoi, en rédigeant ce genre de textes, on risque parfois de se sentir comme un minable comédien qui prendrait des poses grâce à la petite magie facile de l'écriture.

Espérons que, pendant ce temps, des psychologues étudient, de manière plus objective et sur des échantillons suffisamment nombreux, les effets mentaux et affectifs réels de la mort prochaine.

Et ne nous étonnons pas de voir des « philosophes » composer des essais sur la mort en ne citant que

Montaigne et Heidegger. Bien entendu, il ne leur viendrait jamais à l'esprit de lire, car ce serait déchoir, des manuels de sciences humaines sur leur sujet[41].

Mais j'avoue que ce n'est pas une bien grande nouvelle : la philosophie n'est-elle pas trop souvent caractérisée, davantage que par le respect des faits, par un incurable souci de la distinction ou du «chic» culturel, rebaptisés «profondeur»?

La Rochefoucauld affirme que ni le soleil ni la mort ne se peuvent regarder en face. C'est assurément une belle formule, mais guère plus.

En fait, le soleil se peut regarder en face — au prix de la souffrance et de la cécité. Il me semble que la mort elle aussi peut être regardée en face et, dans ce cas, il est beaucoup moins évident que les conséquences soient nocives.

Nous avons au moins deux occasions de voir avec lucidité la mort telle qu'elle est. La première, c'est l'agonie d'autrui. Mais cela n'est pas donné à tout le monde, d'une part, et de l'autre, cela laisse toujours place à diverses interprétations rassurantes. La seconde occasion est universelle et quotidienne : c'est notre propre sommeil profond sans rêve. Dans l'état actuel de nos savoirs scientifiques, la moindre réflexion nous dit ce qui se passe. Notre cerveau réduit son fonctionnement habituel de l'état de veille et il se met, en quelque sorte, au ralenti. Or cette simple diminution, temporaire et réversible, suffit pour engendrer une éclipse de notre vie subjective, de notre conscience, de notre activité mentale et de notre personnalité.

Le sommeil est la réfutation sans appel de l'immortalité de l'âme (et, soit dit en passant, du panpsychisme).

Car si le ralentissement de l'activité cérébrale provoque une telle éclipse, on en déduit sans peine ce que son arrêt total doit avoir comme conséquence, à savoir *la disparition complète et définitive de notre vie subjective, de notre conscience, de notre activité mentale et de notre personnalité.*

La mort est donc tout à fait pensable. Relativement facile à penser même. En réalité, nous savons trop bien que nous sommes mortels. Même si nous refusons avec acharnement de nous l'avouer lucidement, au fond nous n'ignorons pas que seule la *disparition en tant que personne* nous attend après le trépas. Mais nous n'acceptons pas de le croire, préférant le plus souvent nous raconter quelque fable d'immortalité, invraisemblable mais rassurante. Nous n'avons pas peur de l'«inconnu» ni de l'«au-delà», comme on le lit encore si souvent; nous avons une peur insupportable du gouffre béant qui nous guette et où nous allons disparaître corps et biens.

Bref, que nous ne *voulions* pas le voir, c'est une chose; que nous ne *puissions* pas, comme le suggère La Rochefoucauld, en serait une tout autre.

Je n'ai encore vécu aucune des expériences de mort imminente (*near-death experiences* ou NDE) qu'on décrit, dans toute une abondante et très populaire littérature, comme des preuves d'une séparation de l'âme et du corps, d'une vie après la mort et de l'existence d'une dimension surnaturelle. Mais je n'y vois absolument rien qui, après un examen sérieux et critique, justifierait ce genre de conclusion aventureuse.

Beaucoup de bruit pour rien [42].

D'ailleurs, il en va de même pour tous les «faits» douteux invoqués à l'appui de la thèse de la survie des esprits des défunts: témoignages des médiums, apparitions de fantômes, expériences extracorporelles, souvenirs des vies antérieures, photographies ou enregistrements des voix d'esprits, cas de possession, etc.

Légendes, racontars, interprétations acrobatiques, passage injustifié aux conclusions, tricheries, mensonges et autres fraudes semblent le «fondement» principal de ce ramassis d'intenables crédulités.

Pourtant, une certaine psychologie populaire n'hésite pas à y voir les éléments convergents d'une véritable démonstration de la thèse d'une survie après la mort, «servant d'appui à une croyance rationnelle et scientifiquement fondée en une vie d'outre-tombe» et qui «suffit à convaincre toute personne sensée[43]».

On croit rêver.

Mais il faut bien admettre que «le besoin de consolation que connaît l'être humain est impossible à rassasier» (Stig Dagerman)[44].

L'une des confirmations, que je me serais bien passé d'expérimenter par moi-même, de la dépendance de l'«esprit» par rapport au corps, c'est le déclin concomitant des aptitudes mentales et de la santé physique. Au fur et à mesure que le cancer se généralise et que mon foie fonctionne plus imparfaitement, mes capacités d'attention, de concentration, de mémoire, d'éveil même, diminuent irrévocablement.

Sujet d'étonnement: les philosophes ont consacré des milliers de pages à la mort et à l'immortalité, mais on ne trouve presque rien chez eux au sujet de la naissance[45].

Or tout est là, comme l'avait vu Santayana: «Quant à l'immortalité, le simple fait de la naissance paraît un bien mauvais présage.»

La mort ne peut être pensée ou réfléchie qu'illusoirement.

Paul Valéry

Que la mort soit «impensable», c'est devenu un lieu commun de la soi-disant profondeur philosophique[46]. Ce n'en est pas moins une sottise, et je l'affirme d'autant plus nettement que je l'ai moi-même commise dans le passé.

Ma mort me serait impensable sous prétexte que je ne peux me représenter mon cadavre sans être, au même moment, le spectateur vivant qui l'imaginerait. De plus, tant que je suis en vie, l'expérience directe de l'état d'«après-mort» me manque irrémédiablement, alors qu'elle seule me permettrait de former une pensée juste de la mort.

De fait, rien n'est plus vrai : on ne peut être à la fois vivant et mort et, tant qu'on est vivant, on n'est pas mort.

Mais lorsqu'on se demande si la mort est ou non pensable pour nous, il ne s'agit pas d'*être* mais de *pensée*. Le sommeil profond sans rêve devrait-il passer pour «impensable» sous le fallacieux motif que je ne peux *être à la fois* éveillé et endormi ? Nul ne prendrait au sérieux une telle hypothèse. Bien évidemment, au moment où je pense ma mort, il faut que je sois vivant, tout comme je dois être éveillé au moment où je pense mon sommeil profond.

Seulement voilà : n'oublions pas que la pensée est abstraite, qu'elle se fait par concepts, qu'elle peut user d'analogies et recourir aux souvenirs ou aux expériences imaginaires, etc. Je suis passé par le sommeil profond sans rêve (j'y ai sombré et j'en ai émergé), j'ai déjà observé d'autres êtres humains profondément endormis, je comprends ce qu'est un electro-encéphalogramme et ainsi de suite. Je peux ainsi parfaitement en arriver à *penser* le sommeil profond sans rêve.

De la même manière, à partir de l'observation systématique d'organismes vivants et morts, mais aussi d'analogies (par exemple, avec le sommeil profond sans rêve, justement), je peux en venir à penser la mort en général et mon propre décès en particulier.

Certes, il se pourrait que je me trompe, c'est-à-dire que ma pensée de la mort soit fausse en tout ou en partie. Cela ne signifierait aucunement que la mort soit *impensable*. La pensée du trépas a un objet, un ensemble de faits objectifs, naturels et tangibles, qui n'a rien de spécialement insaisissable.

Relevons pour finir un trait piquant : la plupart des auteurs qui soutiennent l'impossibilité de se représenter soi-même mort sont de ceux qui, quelques pages plus loin, nous suggèrent l'immortalité de l'âme, laquelle serait pourtant compatible logiquement avec le fait pour l'esprit ou l'âme d'un défunt de... «voir» son propre cadavre [47].

> *Je ne peux me représenter le fait que je vais mourir. La mort est à ce titre un impensable. Je ne peux pas penser que je ne serai plus.*
>
> Denis La Balme

Il y a un autre lieu commun de la profondeur philosophicothéologique : la mort serait un mystère qui échappe à notre savoir (le «grand secret»). «La mort est le plus inconnu des inconnus» (Emmanuel Levinas [48]). Nul ne pourrait connaître ce qu'il y a après la mort, étant donné que personne n'en est jamais revenu pour témoigner. Comme je le rappelais à l'instant, l'expérience directe de l'état d'«après-mort» nous manque irrémédiablement, alors qu'elle seule nous permettrait de connaître ce qu'est la mort.

Autre sottise ridicule, dont la psychologie populaire s'est évidemment emparée : «La mort, au fond, personne ne sait ce que c'est. Personne n'est revenu pour en parler» (Jacques Salomé [49]).

La simple vérité, c'est plutôt que nous savons, avec autant de certitude rationnelle et empirique qu'on peut en exiger, ce qui arrive après la mort : toutes les fonctions vitales de l'organisme individuel concerné cessent sans espoir de retour. En particulier, le cerveau et le système nerveux central arrêtent définitivement de fonctionner.

Or nous savons également, avec autant de certitude rationnelle et empirique qu'on peut le souhaiter, que toutes les facultés psychiques, intellectuelles, mentales ou subjectives connues (sensibilité, conscience, pensée, personnalité, etc.) sont directement dépendantes du bon fonctionnement cérébral.

Ergo, à la mort, le sujet s'éteint complètement et de manière irréversible. Il en résulte qu'il n'existe ni ne saurait exister *aucune expérience vécue* de l'état d'«après-mort» ; il serait donc absurde de prétendre qu'on ne puisse connaître la mort faute d'avoir «vécu» cette impossible «expérience». Ajoutons que, dans l'état actuel de nos connaissances, ce n'est pas là ce qu'on pourrait sérieusement appeler une «croyance» ni une «hypothèse» ; c'est plutôt un savoir bien fondé.

Seuls la peur et le désir, associés à toute une tradition de sophistique religieuse et philosophique (d'ailleurs elle-même appuyée sur eux et qui ne peut que les renforcer), nous empêchent de reconnaître pour ce qu'elle est cette certitude acquise. Que ce soient là de très puissants motifs, nul n'en doute ; mais ce ne sont pas des motifs rationnellement acceptables face à une évidence contraire. Si la philosophie constituait le «discours rationnel» qu'elle prétend si fièrement nous procurer, elle ne véhiculerait plus depuis longtemps de pareilles absurdités.

En passant, le fait que *personne n'est jamais revenu de la mort pour en témoigner* ne constitue absolument pas une bonne raison pour croire que nous ne puissions pas connaître l'état d'«après-mort», mais bien un motif additionnel pour conclure qu'il n'existe pas de survie individuelle. Je suis donc d'avis que c'est le biologiste qui a raison lorsqu'il affirme le plus tranquillement du monde que la mort «n'est pas compliquée du tout. C'est la fin de la vie. *S'il existe quelque chose qui n'a aucun mystère, c'est bien la mort*[50].»

Des philosophes veulent que la conscience ne puisse penser sa disparition. Pourquoi un psychanalyste se gênerait-il pour décréter, au mépris de la «pulsion de mort» freudienne (*Todestrieb*), que «notre inconscient ne peut se représenter sa propre mort[51]»?

Il est vrai que Freud lui-même a pu affirmer qu'au fond personne ne croyait à sa mort, et que, dans son inconscient, chacun était persuadé de vivre éternellement: «Nous ne pouvons vraiment pas imaginer notre propre mort, et quand nous nous efforçons de le faire, nous nous rendons compte que nous sommes encore là comme spectateurs. Par conséquent, au fond de lui-même, personne ne croit à sa propre mort; en d'autres termes: dans son inconscient, chacun est convaincu de son immortalité[52].» Comme il l'écrit dans ses *Essais de psychanalyse*: *Unser Unbewusstes glaubt nicht an den eigenen Tod, es gebärdet sich wie unsterblich* («notre inconscient ne croit pas à sa propre mort, il se considère comme immortel»)[53].

Il faut croire que je suis bien inculte, car tout à coup il me semble que presque aucun philosophe n'a écrit ses réflexions de fin de vie, comme je suis en train d'essayer de le faire[54].

Mais je n'en déduirai pas que j'aurais un titre quelconque à l'originalité, jugeant plus raisonnable et prudent de m'excuser pour une telle ignorance, impardonnable de la part d'un ancien professeur. J'y ajouterais même une crainte : que ce soit là une entreprise que plusieurs auraient parfaitement pu envisager, mais à laquelle ils ont renoncé par décence, par pudeur, par bon goût, par délicatesse, par modestie, par respect humain, etc. (qualités qui sans doute me font défaut).

M'est avis que [la mort] est bien le bout, non le but, de la vie. C'est sa fin, son extrémité, non pourtant son objet. Celle-ci doit être elle-même à soi sa visée, son dessein.

Montaigne

La mort n'est certainement pas l'apogée, l'instant suprême, l'objectif ultime de l'existence. Ce n'en est que le terme ou la fin. Le sens de ce qui l'a précédée, de la naissance à l'accomplissement, ne provient pas spécialement d'elle, mais de tout ce que nous avons fait durant notre vie active.

Car nous ne nous définissons évidemment pas par notre mort, mais seulement par l'ensemble de nos choix et de nos actions, dont nous ne sommes en fait que la somme totale. À qui viendrait l'idée que toute la signification d'un roman dépendrait uniquement, non pas même de sa dernière phrase, mais… du point final ? Ou encore, que le sens ultime de ma journée de vie éveillée résiderait dans l'instant où je m'endors le soir ?

Selon moi, c'est donc ici Sartre qui aurait raison : « La mort n'est jamais ce qui donne son sens à la vie[55]. » Pas davantage, d'ailleurs, la mort n'abolit-elle le sens de notre passage sur cette terre. Comment la mort ôterait-elle toute signification à la vie humaine? La mort n'a aucune prise réelle sur le sens, qui relève seulement de la vie.

Il me paraît donc tout à fait absurde de prétendre que la mort serait «le moment culminant de notre vie, son couronnement, ce qui lui confère sens et valeur[56]» (Marie de Hennezel). Des exemples comme ceux du savant Albert Einstein ou du poète Henri Michaux[57] viennent immédiatement à l'esprit: ils sont morts dans une chambre d'hôpital, en présence seulement d'un membre du personnel soignant. Sauf erreur, les ultimes paroles d'Einstein se sont perdues à jamais parce qu'il les aurait prononcées en allemand, langue que son infirmière américaine ne comprenait pas.

En quoi des derniers moments aussi mal «réussis» changeraient-ils quelque chose à notre compréhension et à notre appréciation des deux existences et des deux œuvres concernées? Pour moi, la réponse ne fait aucun doute. Ces deux morts peu brillantes ne sont que des péripéties secondaires, anecdotiques et contingentes, dans des vies qui demeurent incontestablement riches, remarquables, créatrices et bien remplies.

De tels exemples, il en est des milliers et des milliers, sans aucun doute[58]. Il n'y a donc pas de raison de croire à une affirmation comme celle-ci: «Une personne se révèle tout entière dans sa manière de mourir[59]».

Seule une sorte de déformation professionnelle propre à ceux qui accompagnent sans cesse des mourants me paraît propre à expliquer une telle erreur. En effet, que ce soit dans notre vie personnelle ou dans le cas de personnages célèbres, il ne nous vient généralement pas à l'esprit de nous enquérir des conditions exactes ayant entouré les derniers moments. Je sais que le pianiste Dinu Lipatti est mort à trente-sept ans d'une leucémie, mais j'ignore comment se sont déroulés ses ultimes instants : cela ne me donne aucunement l'impression de ne pas pouvoir le connaître véritablement. L'ami au sujet de qui j'ai écrit *Dialogues en ruine* a été emporté par un cancer foudroyant, mais je n'ai jamais cherché à savoir précisément comment il était mort (d'un arrêt cardiaque, je crois), sans m'inquiéter pour autant de ne pas pouvoir le comprendre à cause de cette lacune.

Tant il est vrai qu'une personne ne se révèle *que dans l'ensemble de sa vie.*

Le mourant voit, dans beaucoup de cas, son univers se réduire aux dimensions d'une chambre, d'un lit. C'est une première forme de la fin de son monde qui, avant de sombrer, rétrécit comme une peau de chagrin. Sa marge d'autonomie, de contrôle et d'action volontaire diminue parallèlement. En cas de coma, elle disparaît complètement.

Mais s'il doit apprendre peu à peu à lâcher prise et s'adapter à ces conditions de vie minimales, cela ne signifie pas nécessairement de la part du patient une totale passivité. Il lui reste presque toujours une certaine marge, plus ou moins étroite, d'activité et de jugement, de sensation et de communication, de vie intérieure et d'initiative.

Si l'on m'avait décrit il y a dix ou vingt ans, alors que j'étais relativement au sommet de ma forme, l'état dans lequel je me retrouve aujourd'hui — à moitié défiguré, très affaibli et de plus en plus envahi par la maladie —, j'aurais affirmé que je le jugeais dégradant et indigne et que je préférerais être mort. Mais les choses se sont déroulées par étapes et je m'y suis adapté peu à peu.

L'opinion que j'avais alors était toute faite d'abstraction et de théorie, alors que ma vie d'aujourd'hui est concrète et bien réelle.

Jusqu'au dernier moment, de tels revirements sont fréquents. Ils jettent un certain doute sur la validité et l'utilité des «testaments de vie» préparés à l'avance, il faut bien le reconnaître.

Jusqu'où peut-on, et doit-on, ainsi se résigner, s'adapter et accepter? On estimera raisonnable de croire que ce serait à chacun d'en décider pour lui-même, mais cette solution n'est pas pleinement satisfaisante dans la mesure où l'on sait que finit par arriver un stade où l'intéressé risque de perdre également ses moyens d'en juger et ce, sans même qu'il ne l'ait vu venir à temps.

Il y a donc là un sérieux paradoxe, en partie insoluble, de toute éthique de la fin de vie.

On n'échappe pas à la mort. On n'en triomphe pas non plus. On y recourt ou on la subit, et c'est toujours *tant bien que mal*.

On ne meurt qu'une fois. Il est normal, en somme, qu'on soit mal exercé à réussir une belle mort («réussir» simplement à mourir, par contre, c'est chose garantie pour tous).

Si la chance, ou les circonstances, ou notre caractère, nous permettent une mort qui soit vraiment à notre image et nous convienne, une bonne mort, tant mieux. Mais rien ne nous l'assure et nul ne nous en est redevable — surtout pas nous-mêmes, diminués et dépassés comme nous risquons de l'être à l'heure fatidique.

Qui, d'ailleurs, en sera juge? Qui oserait reprocher à autrui d'avoir raté ou gâché sa mort?

Faudrait-il apprendre à mourir? On ne le peut.

Se préparer mentalement et affectivement à la mort, mais en l'absence de toute certitude quant à sa forme et à ses circonstances, c'est le plus qu'on puisse tenter, sans recette éprouvée ni résultat assuré.

Quelle bonne raison pourrait-il bien y avoir pour «protéger» le patient au point de lui cacher la réalité de son état, voire de lui mentir? Il paraît que dans certains pays européens, les médecins continuent d'entrer dans le jeu des malades qui, en grande majorité, sembleraient préférer l'ignorance. «Ne vous en faites pas, ça va s'arranger, dans trois semaines vous serez sur pied», etc. — déni du réel maintenu alors même que la fin est imminente, quelques jours tout au plus. Seuls ceux qui insistent obtiennent un peu de vérité[60].

On peut douter que cette politique de dénégation soit payante. En tout cas, elle n'a rien de glorieux. Pour ma part, j'ai fait il y a bien longtemps le pari de la lucidité. Cela ne veut pas dire que je ne suis pas tombé, au cours de ma vie, dans diverses illusions, loin de là. Mais cela signifie que j'ai, avec des succès divers, tenté de chercher et de regarder en face les vérités que j'étais capable d'appréhender.

Comme l'Ivan Ilitch de Tolstoï, je m'étonne que l'entourage soit si souvent porté à édulcorer les faits pour préserver un pauvre semblant d'espoir sans fondement[61]. J'ai aussi été très étonné d'entendre des médecins francs, directs, bien informés et motivés, raconter à leurs patients qu'un bon moral *représentait 50% des facteurs de guérison* — alors que les études existantes tendent au contraire à démontrer, du moins en matière de cancers, qu'optimistes et déprimés meurent (ou guérissent) également et indifféremment[62]. Je reconnais malgré tout qu'il n'est pas de solution universellement valide et que chaque cas présente des aspects uniques, selon la personnalité, les croyances, les attentes, les valeurs et l'expérience de chacun.

Mais que mourir dans le mensonge soit une bonne chose, je ne parviens pas à m'en convaincre.

L'homme libre ne pense à aucune chose moins qu'à la mort, et sa sagesse est une méditation non de la mort, mais de la vie.

Spinoza

J'ai beau avoir, en ce moment, la mort comme préoccupation principale, je ne vois, chez les penseurs de l'«être-pour-la-mort» ou de la «pensée de la mort en tant que constitutive de toute pensée», qu'une rhétorique remplie de sophismes et de phrases creuses.

L'être humain n'est pas un «être-pour-la-mort» ou un «être-vers-la-fin», c'est au contraire un *être-pour-la-vie*: vie animale, vie affective, vie sociale, vie amoureuse, vie mentale, vie créatrice, vie symbolique.

Quant à la pensée de la mort, elle n'est pas «constitutive» de toute pensée: même si l'humain se sait mortel, c'est plutôt la vie qui est constitutive de ses pensées (la mort faisant elle aussi partie, accessoirement, de notre conscience de ce que toute vie animale est ou implique).

Certes, la réflexion au sujet de la mort importe à notre existence, dans la mesure où l'on ne saurait penser intégralement la vie sans faire clairement référence à sa finitude naturelle. Mais comme la naissance, la mort n'est après tout qu'une étape normale du processus vivant, d'ailleurs en tout point identique chez *Homo* à ce qu'elle est, par exemple, chez les autres mammifères.

Quant à la finitude humaine envisagée de manière générale, elle revêt mille visages ou dimensions. Nos aptitudes sont limitées, notre intelligence est bornée, nos aspirations dépassent nos capacités, nos défauts sont innombrables, nos œuvres sont imparfaites, nos corps sont fragiles, nos connaissances incomplètes, nos relations humaines boiteuses et, bien entendu, notre temps est compté. Si par magie on pouvait faire disparaître cette dernière clause, serions-nous moins marqués par la finitude? Un peu moins, dira-t-on sans doute. Il reste clair que nous ne deviendrions pas «infinis» pour autant. Et si on nous accordait toutes les perfections, sauf l'éternité, nous serions beaucoup moins englués dans la finitude, beaucoup moins «finis» — malgré la mort.

Bref, la mort ne paraît pas la forme unique ni fondamentale de notre finitude, même si elle en est un aspect psychologiquement important.

L'homme est-il un «être-pour-la-mort»? C'est le mot «pour» qui importe ici. L'homme est certainement un être de finitude; mais d'une part on ne saurait *identifier* «mort» et «finitude» et d'autre part il est douteux que la prise en compte de notre finitude puisse suffire à justifier la thèse voulant que l'être humain soit essentiellement un «être-pour-la-mort». (Comment l'homme serait-il un «être-pour-la-finitude»? Cela n'aurait guère de sens.)

Quoi qu'il en soit, la certitude d'être mortel ne devrait donc jamais devenir un obstacle à notre bonheur. Penser à la mort, on le fera uniquement afin de mieux vivre — pour ajouter de la valeur à la vie, pour mieux travailler à son accomplissement.

On dit parfois, devant la mort de nos semblables: «c'est la condition humaine». Erreur. C'est la condition animale *et donc humaine*.

Bien connu la vie.

Contemplé attentivement la mort qui approche.

Choisi la vie.

— Mais choisir la vie, c'est aussi vouloir de l'autonomie, de la dignité humaine et une possibilité de bonheur (du moins, celle d'une certaine qualité de vie minimale), choses essentielles qu'il n'est parfois, dans certaines situations limites, plus possible d'affirmer autrement que par le recours à une mort volontaire, laquelle demeure l'acte d'un vivant et un acte de vie, ne l'oublions pas.

Le plus souvent, la vie est douce et il fait bon vivre. Mais il y a des limites. Une existence de déchéance qui, aux yeux mêmes de celui qui la subirait, serait par trop amoindrie ou dénuée de dignité, pourrait légitimement appeler une fin opportune, qui témoignerait alors non pas d'une fascination pour la mort, mais d'un véritable respect envers la vie bonne.

Or il arrive qu'en phase terminale le tableau devienne celui d'un quotidien intolérablement grevé par de multiples maux impossibles à maîtriser; lassitude extrême et déperdition des forces; grandes douleurs plus ou moins bien contrôlées, au prix d'une sérieuse perturbation de l'activité psychique; oppression et étouffement; insomnie nocturne et abrutissement diurne; nausées et vomissements; crachats de salive; soif constante; double incontinence humiliante; état végétatif passager ou persistant; épuisement moral et psychologique; angoisse intense; chagrin, amertume, rancœur et agressivité; révolte et refus; désir manifeste d'en finir.

Une personne qui, placée dans ce type de conditions limites, réclame une fin douce et rapide, paraît clairement dans son droit de vivant libre et responsable[63]. On peut même estimer que celui ou celle qui sentirait approcher cette étape «terminale» et préférerait l'éviter en abrégeant ses jours avant d'en arriver à un tel degré de détérioration, jugé intolérable, serait également dans son droit à une mort digne.

Cela posé, il demeure qu'en cas de conflit entre le respect du caractère sacré de la vie humaine et l'exigence d'une certaine qualité minimale de vie, les critères précis concernant ce qui est ou non acceptable en ces matières (indignité, dégradation, déchéance) sont loin d'être évidents ou de faire l'unanimité.

Je n'ai guère envie de raconter par le menu les péripéties de mes mésaventures médicales depuis quelques années. Mais il y a une chose que j'aimerais suggérer aux responsables du secteur de la santé.

Lorsqu'un cas devient suffisamment compliqué pour que plusieurs spécialistes de deux ou trois hôpitaux différents s'y trouvent impliqués (sans parler du médecin de famille, ni des services assurant des soins à domicile, etc.), le patient est rapidement dépassé par la complexité des démarches requises et les difficultés de coordination entre tous les intervenants. Ne serait-il pas souhaitable qu'un répondant principal, quel qu'il soit, puisse lui être assigné, qui assurerait un minimum de communication et de cohésion et assisterait le malade dans ses contacts avec les nombreux services concernés?

Pour celle ou celui qui sait que sa fin approche, il est peu de sentiments plus lourds à porter que celui du délaissement et de l'abandon: je l'ai pourtant ressenti plus d'une fois, depuis quelque temps, dans mes rapports avec les sept ou huit médecins et leurs quatre ou cinq services et départements qui sont censés s'occuper de moi et qui semblent obéir scrupuleusement à la consigne non écrite de ne jamais se concerter ni se contacter directement les uns les autres.

À quelques reprises, se débrouiller seul dans le labyrinthe bureaucratique de nos services hospitaliers a représenté pour moi un véritable calvaire kafkaïen, dont je me serais bien passé. Le seul fait de devoir appeler par téléphone l'un des trois hôpitaux du CHUM est devenu l'une de mes pires hantises: impossible de parler à quiconque, impossible d'obtenir un rendez-vous avant des mois, impossible de savoir pourquoi on n'arrive pas à trouver le bon service ou le bon formulaire. Il paraît d'ailleurs qu'à force d'échecs et de lassitude, certains patients finissent par abandonner, c'est-à-dire par rester chez eux et renoncer à tout contact avec les hôpitaux et les médecins. On peut les comprendre. Mais une telle situation est scandaleuse, inhumaine et inacceptable.

Pour ma part, je peux témoigner que j'ai navigué à plusieurs reprises dans un vaisseau sans capitaine, ce qui n'est pas l'idéal au milieu de la tempête [64].

Tant qu'il y a de la vie, il importe qu'il subsiste au moins un peu d'activité, d'espoir, de joie, de confiance ou de réconfort, si peu que ce soit, et même au milieu de l'angoisse, de la souffrance, de l'horreur bien réelles. Et cela resterait vrai pour qui choisirait de partir un peu plus tôt que ce que le cours naturel des choses ne l'aurait voulu (de toute façon, peut on encore parler de «fin naturelle» chez un patient ayant connu la chirurgie, la chimiothérapie, la radiothérapie, la morphine, etc.?).

Participer aux menues décisions quotidiennes; escompter un moment agréable, une jouissance physique, une petite occupation gratifiante, une ambiance de chaleur humaine et d'amitié; cultiver une forme indirecte d'optimisme ayant pour objet notre entourage, notre société ou l'humanité entière, à défaut de soi-même; dire la vérité et affirmer ouvertement ce qu'on pense, au risque du désaccord ou de la mésentente; écouter de la musique que l'on aime; faire quelques cadeaux à nos proches; le cas échéant, réparer ce qui peut encore l'être, pardonner, se réconcilier avec autrui; traiter la maladie et l'agonie comme des épreuves à surmonter ou des défis à relever du mieux que l'on peut, avec dignité et bonne humeur; donner de l'affection et en recevoir — c'est encore profiter de l'existence, en jouir, l'apprécier.

C'est vivre jusqu'à la fin, le moins mal possible: goûter la joie de l'instant présent, connaître le simple plaisir d'être, communier avec l'énigme de l'univers, se percevoir comme partie prenante du grand tout qui nous porte et nous emporte, adhérer à la magie du réel et la célébrer silencieusement, sourire un bref instant à la lumière du jour ou au regard d'autrui, ressentir un peu de tendresse, serrer doucement une main amie.

Cette fois-ci, à moins que je ne mette fin à mes jours, ce n'est pas l'auteur qui va interrompre son manuscrit: c'est la maladie qui en décidera à sa place. Heureusement, on dirait bien qu'en somme juste assez de temps m'aura été accordé pour arriver, à peu de choses près, au terme de ce que je pouvais envisager d'écrire dans les circonstances où je me trouvais placé lorsque j'ai commencé. Peut-on dire «merci» au cours hasardeux des choses?

NOTES

1. «Si l'on entend par éternité non pas une durée temporelle infinie mais l'intemporalité, alors celui-là vit éternellement qui vit dans le présent» (Ludwig Wittgenstein, *Tractatus logico-philosophicus*, 6.4311).

2. Un exemple entre cent, dans une perspective vaguement «bouddhiste»: Rodney Smith, *Quand la mort nous ouvre à la vie. Lâcher prise et plénitude: réflexions et exercices pour la vie quotidienne*, Paris, Le Courrier du livre, 1999.

3. *La mort*, Paris, Flammarion, «Champs», 1977, p. 465.

4. *Omnem crede diem tibi diluxisse supremum, grata superveniet, quae non sperabitur hora* (Épîtres, I, IV, 13).

5. «Quoi que disent certains philosophes, ce n'est pas tellement sain de vivre avec l'idée qu'on va mourir d'un instant à l'autre. Cela coupe toute possibilité d'édifier, de créer et d'agir» (Henri Bulawko, dans Nourit Masson-Sékiné (dir.), *Le courage de vivre pour mourir*, Paris, Albin Michel, 2002, p. 27).

6. Lydie Violet et Marie Desplechin, *La vie sauve*, Paris, Le Seuil, 2005.

7. Voir par exemple l'article «Lucrèce» dans le *Dictionnaire historique et critique* de Pierre Bayle, datant de 1695.

8. Simplement à titre d'exemple, en ce 22 décembre 2004, on annonce qu'un chercheur canadien aurait isolé un composé extrait d'une plante et ayant la propriété de détruire les cellules cancéreuses et elles seules: «Un professeur de biochimie de l'université de Windsor (Ontario), Siyaram Pandey, affirme avoir découvert le *pancracy sdaden*, un composé provenant du lys araignée, qui pourrait révolutionner le traitement du cancer. En testant ce composé du lys araignée sur des cellules atteintes de dix cancers différents, S. Pandey s'est rendu compte qu'il déclenchait un programme de suicide des cellules cancéreuses sans affecter celles qui sont saines. De plus, ce composé présente l'avantage de ne pas être toxique. [...] Cependant, il faut une grande quantité de cette plante pour obtenir quelques milligrammes du *pancracy sdaden*. En outre le lys araignée ne pousse que dans le désert de l'Arizona et à Hawaï. Les chercheurs devront donc synthétiser ce

composé. Avant de mettre sur le marché un traitement efficace, des expériences sur des animaux et des essais cliniques devront être réalisés, ce qui prendra plusieurs années» (d'après une dépêche de la Société Radio-Canada). Il ne m'échappe pas que je serai certainement mort bien avant, mais je mentirais en ne confessant pas qu'à prime abord cette nouvelle a suscité en moi une petite bouffée d'espérance, vite dissipée, naturellement. (En outre, tant de nouvelles analogues ont, depuis des décennies, créé chez d'innombrables patients des attentes illusoires avant de se révéler fausses ou très exagérées, qu'il y aurait d'excellents motifs pour demeurer sceptique.)

9. Gabriel Matzneff rappelle que, parmi les motifs de suicide fréquemment admis dans l'Antiquité romaine, on trouvait «la volonté de ne pas être dégradé par la maladie» et «la lassitude de vivre». Voir son entretien avec Christian Chabanis, «La mort volontaire», dans *La mort, un terme ou un commencement?*, Paris, Fayard, 1982, p. 229.

10. C'est ainsi qu'à cause de la maladie, en contradiction flagrante avec tout ce que je crois rationnellement, une petite part de moi-même est devenue, depuis quelques années, superstitieuse. Elle me nuit sans doute bien plus qu'autre chose, d'ailleurs, mais malgré mes efforts je ne parviens pas à m'en débarrasser. (Lorsque je tombe par hasard sur une horloge numérique affichant une suite uniforme de chiffres semblables — 5:55, 11:11, 4:44:44, etc. — je ressens un pincement de peur et le vois comme un «mauvais présage».)

11. Fernando Savater, *Penser sa vie*, Paris, Le Seuil, 1999, p. 35.

12. Jean Fallot, *L'angoisse devant la mort. Journal (1953-1959)*, Lille, Presses universitaires de Lille, 1990, p. 258.

13. Simone de Beauvoir, *La cérémonie des adieux*, Paris, Gallimard, 1981 (coll. «Folio», 1995, p. 35). Dans ses *Entretiens avec Sartre* de 1974, on retrouve chez lui des formules qui vont dans le même sens: «L'approche de la mort apparaît comme une série de privations. [...] Il y a cet éparpillement qu'est l'apparition de la vieillesse. [...] Ça se disperse, ça s'effiloche» (*ibid.*, p. 606-608).

14. On ne confondra pas cette attitude critique avec la thèse extrême d'un spiritualiste chrétien comme Michel Henry, pour lequel le technocapitalisme universel triomphant ne serait, tout entier, qu'une *culture de la mort*. Voir M. Henry, *Du communisme au capitalisme. Théorie d'une catastrophe*, Paris, Odile Jacob, 1990, en

particulier les derniers chapitres (ch. VI: «Vie et mort en régime capitaliste», ch. VII: «L'empire de la mort» et ch. VIII: «La mort et la politique»).

15. Mais certainement pas au sens (?) de Heidegger.

16. Texte transcrit par Valérien Lachance, *Pour-le-Pays-du-Québec*, jeudi 3 juillet 2003. Voir http://membres.lycos.fr/quebecunpays/PIERRE-BOURGAULT.htm. Je me suis permis quelques modifications de détails, comme «je m'éteins» au lieu de «je m'éteint» ou un tiret à la place d'une virgule.

17. Il faudrait se souvenir que les causes de décès les plus importantes en Amérique du Nord sont: a) les maladies cardio-vasculaires, b) le cancer, c) les accidents vasculaires cérébraux, d) les maladies pulmonaires chroniques, e) les accidents de la route, f) les autres types d'accidents, g) le suicide, h) le meurtre, i) le VIH / sida, j) les naissances prématurées, k) le syndrome de la mort subite du nourrisson, l) les maladies du foie et la cirrhose, m) le diabète, n) la pneumonie et la grippe. On voit sans peine que les premières causes de décès frappent souvent de manière prématurée et que beaucoup parmi elles se traduisent par des phénomènes violents, longs ou douloureux. À noter que l'ordre n'est qu'indicatif et peut varier légèrement d'une année à l'autre: ainsi il semblerait que le cancer ait finalement gagné la première place en 2003 aux USA.

18. On me disait alors: «Toi qui as une si grande confiance dans les sciences, tu n'es pas un peu ébranlé par cet échec apparent de la médecine?» À quoi je répondais: «Pas le moins du monde: je suis convaincu qu'à l'autopsie ils vont découvrir ce que j'avais.» Mais mes médecins m'ont appris depuis que, dans quelques très rares cas, on ne trouvait jamais…

19. Tout en ne me cachant pas son scepticisme à ce sujet, un ami mexicain, le professeur Fernando Leal, de l'université de Guadalajara, me signale que deux philosophes allemands peu connus, Jakob Fries (1773-1843) et Leonard Nelson (1882-1927), auraient en leur temps proposé et entrepris quelque chose de similaire, mais sans succès.

20. À son propos, une petite citation: «On a beaucoup ri d'un télégramme que Mauriac a reçu peu de jours après la mort de Gide et ainsi rédigé: "Il n'y a pas d'enfer. Tu peux te dissiper. Préviens Claudel. Signé André Gide"…» (Julien Green, *Journal*, 28 février 1951).

21. Karel Capek, *R.U.R.*, La Tour d'Aigues, Éditions de l'Aube, 1997, p.148-149 et 198-199.

22. On ne manquera pas de rapprocher cette question de celle des attitudes hypercritiques et apocalyptiques que j'ai évoquées plus haut.

23. Pour nous en tenir aux traditions américaine et européenne (en particulier britannique, française, germanique, russe, italienne), Henri Bergson, William James, Max Scheler, C. S. Peirce, Karl Jaspers, Jean Nabert, Léon Chestov, Gabriel Marcel, Ludwig Wittgenstein, Nicolas Berdiaev, Martin Buber, Simone Weil, A. N. Whitehead, Ernst Bloch, Martin Heidegger, Walter Benjamin, Roger Garaudy, Emanuele Severino, Jan Patocka, Claude Tresmontant, Emmanuel Levinas, Gustavo Bontadini, Charles Taylor, Jacques Derrida, Gianni Vattimo — ce ne sont là que quelques exemples (parmi des centaines) de tels philosophes, plus ou moins imposants, dans la pensée desquels le motif religieux, surnaturel ou divin occupe une place significative, voire névralgique.

24. Maurice Blondel, Louis Lavelle, René Le Senne, Gabriel Marcel, Jacques Maritain, Étienne Gilson, Jean Nabert, Maurice Nédoncelle, Gabriel Madinier, Emmanuel Levinas, Aimé Forest, Gustave Thibon, Raymond Ruyer, Henri Duméry, Jean Guitton, Emmanuel Mounier, Jean Daniélou, Étienne Borne, Henri de Lubac, Jacques Ellul, Jean Brun, Alphonse de Waelhens, Jean Lacroix, Paul Ricœur, Xavier Tilliette, Pierre Boutang, Maurice de Gandillac, Joseph Moreau, Simone Goyard-Fabre, Gilbert Romeyer-Dherbey, Maurice Clavel, Gaston Fessard, Jean-Marie Domenach, Christian Jambet, Guy Lardreau, Claude Bruaire, Rémi Brague, Michel Henry, Jean-Luc Marion et j'en omets sans doute quelques-uns — elle-même en a oublié, comme Georges Gusdorf ou René Girard.

25. On peut y rattacher Nicholas Wolsterstorff, William Lane Craig, John Hick, Peter van Inwagen, Robin Collins, Linda Zagzebski, William Alston, Richard Swinburne, Kelly J. Clark, Philip L. Quinn, Charles Taliaferro, Hugo Meynel, Brian Davies, Keith Yandell, Mark Wynn, Dallas Willard, Robert Koons, J. P. Moreland, Michael Rea, Stewart Goetz, John Hare, William Dembski, etc.

26. Bruce Aune, *Metaphysics: The Elements*, Minneapolis, University of Minnesota Press, 1985, p. 184.

27. «Un modo di vedere il mondo come mistero, dove ogni accadimento è frutto di una volontà, di un disegno segreto, quindi con un senso morale, un valore. Dove tutto è miracolo, grazia.

Un universo dove le leggi naturali sono solo la manifestazione esteriore di una potenza creativa che non si incontra nel laboratorio, ma solo quando decide di rivelarsi. E che non si può capire con il ragionamento, ma soltanto con lo slancio del cuore, dell'amore, della fede» (*Corriere della Sera*, lundi 31 mai 1999).

28. Si l'on tenait à une analyse en termes de causes, ce qui est probablement inévitable et souhaitable, j'explorerais l'hypothèse qu'il faut chercher en direction d'un aspect de la structure du psychisme de notre espèce, qui consisterait, devant un désir narcissique frustré par les faits, à trouver refuge dans une satisfaction imaginaire. Mais la quête d'une causalité pourrait certainement se poursuivre : ce mélange de désir et d'imagination symbolique ne s'expliquerait-il pas lui-même, à son tour, sur la base d'une logique évolutionniste, par exemple (voir la socio-biologie ou l'*evolutionary psychology*)? Les croyances au surnaturel ou à la magie rempliraient diverses fonctions adaptatives en fournissant des cadres d'interprétation intuitivement signifiants et «positifs» pour l'expérience humaine et la réalité dans son ensemble, en contribuant à réduire l'anxiété et l'incertitude devant les malheurs et les catastrophes de tout genre, y compris la mort, et en renforçant la cohésion du groupe social concerné, par exemple. Et bien entendu, un phénomène aussi complexe aurait sans doute plusieurs moteurs adventices qui contribueraient à son renforcement (sociaux : conforter les pouvoirs ; économiques : faire vendre du rêve, etc.).

29. F. Savater, *op. cit.*, p. 36.

30. Charlotte Herfray, dans Nourit Masson-Sékiné (dir.), *Le courage de vivre pour mourir*, *op. cit.*, p. 142.

31. «Durch die sichere Aussicht auf den Tod könnte jedem Leben ein köstlicher, wohlriechender Tropfen von Leichtsinn beigemischt sein» (*Le voyageur et son ombre*, 322).

32. B. Strauss, *La dédicace*, trad. J.-Cl. Hémery, Paris, Gallimard, 1979, p. 41.

33. Propos rapportés par J. Fallot, *op. cit.*, p. 310.

34. Un indice qui va dans le même sens : dans le champ de recherche, émergent et multidisciplinaire, de la «thanatologie», les enquêtes sur l'*anxiété face à la mort* semblent être devenues une industrie particulièrement prospère. Voir Robert A. Neimeyer (dir.), *Death Anxiety Handbook. Research, Instrumentation, and Application : Diversity in Universality*, Londres et Washington (DC), Taylor & Francis, 1994.

35. À l'époque de cet ouvrage, l'auteur enseignait à l'université de Toronto. Il a depuis disparu sans laisser de traces et ne semblerait pas avoir publié autre chose.

36. On devrait également consulter les travaux de Paul Kline, par exemple *Psychology and Freudian Theory* (Londres, Methuen, 1984), ou encore la série d'ouvrages dirigée par J. Masling *et al.*, *Empirical Studies of Psychoanalytic Theories*, Hillsdale (N. J.), Erlbaum. Dans une autre perspective, voir aussi l'article de Mark Solms, «Psychanalyse et neurosciences», *Pour la science*, octobre 2004, nᵒ 324, p. 76-81 (trad. de «Freud Returns», *Scientific American*, mai 2004, vol. 290, n° 5, p. 82-88).

37. «Ce n'est pas tous les jours qu'une centaine de chercheurs, dont plusieurs prix Nobel, se réunissent pour lancer publiquement un cri d'alarme. "La pollution chimique menace la survie de l'espèce humaine", a clamé au printemps dernier ce groupe de scientifiques aux Nations unies. Cette déclaration, baptisée l'Appel de Paris, avait pour but d'attirer l'attention sur l'augmentation inquiétante des cas d'asthme, d'allergies, d'anomalies congénitales et surtout de cancers, dont la croissance aurait un lien direct avec la pollution. Partout, en effet, le cancer progresse. À la fin de cette année, plus de 145 000 personnes au Canada auront appris qu'elles en souffrent; c'est 63% de plus qu'il y a 20 ans. "Le cancer touche en grande majorité les personnes âgées, explique Jack Siemiatycki, chercheur en épidémiologie environnementale et en santé des populations à l'université de Montréal. La société vieillit; il est donc logique de constater une augmentation des cas." Les méthodes de dépistage de certains cancers, notamment celui de la prostate, se sont aussi nettement améliorées, ce qui permet de détecter plus de cas. Mais une cause bien plus sournoise inquiète les spécialistes: les changements dans notre environnement et dans nos habitudes de vie. Officiellement, 30% des cancers sont encore dus au tabagisme et 20% à une mauvaise alimentation. Quant au reste — la moitié —, ils sont liés à des facteurs tels que le milieu de travail, les antécédents familiaux, la consommation d'alcool, l'exposition au soleil ou aux émissions ionisantes dues aux rayons X et au radon, un gaz radioactif présent dans la nature et surtout dans les matériaux de construction, donc dans nos maisons. Mais, selon Dominique Belpomme, professeur de cancérologie à l'Université Paris-V et initiateur de l'Appel de Paris, ces chiffres sont obsolètes. Ils sont d'ailleurs tirés d'une étude réalisée au début des années 1980. "Je

considère qu'aujourd'hui 60 à 70% des cancers sont dus à la pollution"» (Isabelle Cuchet, «Cancer, malaise dans la civilisation», *Québec Science*, octobre 2004). On peut lire le texte de l'Appel de Paris à l'adresse <http://appel.artac.info/ appel.htm>. Pour un point de vue inverse, sceptique et réservé, on comparera avec «Pollution et cancers, un lien ténu», par Jean-Pierre Camillieri et Hélène Langevin-Joliot, dans *Le Monde* daté du 4 juin 2005. Par ailleurs, on trouvera une mise au point sur les causes psychosociales du cancer chez Bernard H. Fox, «Psychosocial Factors in Cancer Incidence and Prognosis», dans Jimmie C. Holland (dir.), *Psycho-oncology*, New York, Oxford University Press, p. 110-124.

38. Trad. fr., Paris, Christian Bourgois, 1993.

39. Outre les théories du guérisseur antisémite Ryke Geerd Hamer, la «médecine ayurvédique» de Deepak Chopra ou encore la «biologie totale» de Claude Sabbah et Gérard Athias, citons au hasard, entre cent, H. S. Friedman, *Les secrets de l'autoguérison*, Monaco, Éditions du Rocher, 1994; Mantak Chia, *Énergie vitale et autoguérison*, Paris, Dangles, 1960; Danielle Fecteau, *L'effet placebo. Le pouvoir de guérir*, Montréal, Éditions de l'Homme, 2005; Yvon Saint-Arnaud, o.m.i., *La guérison par le plaisir*, Ottawa, Novalis, 2002; Carl Simonton, *Guérir envers et contre tout*, Paris, Desclée de Brouwer, 1989; Carl Simonton et Reid Henson, *L'aventure d'une guérison*, Paris, J'ai lu, 1998; Johanne Robitaille Manouvrier, *Notre pouvoir de guérison*, Montréal, Libre Expression, 2005.

40. Voir le beau texte de Borges, «L'immortel», dans *L'aleph*, Paris, Gallimard, 1994 (1967): «être immortel est insignifiant», alors que «la mort (ou son allusion) rend les hommes précieux et pathétiques» (p. 32).

41. Il faut citer, par exemple, Robert J. Kastenbaum, «Death and Dying: A Lifespan Approach», dans J. E. Birren et K. W. Schaie (dir.), *Handbook of the Psychology of Aging (2nd Edition)*, New York, Van Nostrand Reinhold, 1985, p. 619-643; *The Psychology of Death (3rd Edition)*, New York, Springer, 2000; *Death, Society and Human Experience (8th Edition)*, Boston, Allyn and Bacon, 2004; Richard A. Kalish (dir.), *The Final Transition*, Farmingdale (N. Y.), Baywood Publishing, 1985; «Death and Dying», dans P. Silverman (dir.), *The Elderly as Modern Pioneers*, Bloomington (Ind.), Indiana University Press, 1987, p. 320-334; Lynne Ann DeSpelder et Albert Lee Strickland, *The Last Dance: Encountering Death and Dying (7th Edition)*, New York, McGraw-

Hill, 2005; Robert Kastenbaum, *The Psychology of Death*, Londres, Free Association Books, 2000; Michael R. Leming et George E. Dickinson (dir.), *Understanding Death, Dying, and Bereavement (6th Edition)*, Belmont (Cal.), Wadsworth, 2005; George Dickinson, Alan C. Mermann et Michael R. Leming, *Dying, Death, and Bereavement (3rd Edition)*, New York, McGraw-Hill, 1996.

42. Pour une présentation synthétique, équilibrée et claire de ces questions, on pourra se reporter par exemple à DeSpelder et Strickland, *The Last Dance*, *op. cit.*, p. 515-523. Voir aussi l'excellent Theodore Schick et Lewis Vaughn, *How to Think about Weird Things. Critical Thinking for a New Age*, Mountain View (Cal.), Mayfield, 1995, p. 268-281. De manière plus générale, beaucoup d'ouvrages «sceptiques» seraient également recommandables, tout particulièrement celui de Nicholas Humphrey, *Leaps of Faith. Science, Miracles, and the Search for Supernatural Consolation*, New York, Copernicus Press, 1999 (noter que l'édition britannique s'intitule *Soul Searching*).

43. John White, *Apprivoiser la mort*, Montréal, Quebecor, 1990, p. 24 et p. 62 (se reporter en particulier à tout le chapitre 2, «Témoignages scientifiques sur la vie après la mort», p. 23-46).

44. On peut lire la traduction française du beau texte de Stig Dagerman, *Notre besoin de consolation est impossible à rassasier* (1952), paru chez Actes Sud (Arles, 1986), à l'URL http://perso.wanadoo.fr/chabrieres/texts/consolation.html>.

45. Une exception serait Hannah Arendt, dans quelques passages de *Vita activa* et de son *Essai sur la révolution*.

46. «La mort d'autrui est un concept qui unifie des observations mais ce concept ne peut me permettre de penser ma mort… Penser la mort supposerait que la mort soit un objet : un jugement de connaissance nécessite un concept qui subsume (détermine) une intuition sensible. Or il ne peut y avoir de concept de ma mort car c'est un événement unique qui ne concerne que moi. Il ne peut y avoir d'intuition sensible de ma mort et donc de la mort, car la disparition de la conscience, du corps propre, marque du même coup la disparition de toute intuition sensible qui exige le corps : on ne peut vivre sa mort ni la regarder en face» (Cf. www.philagora.net/philo-poche/pochmort.htm>). Que la mort ne puisse pas être pensée comme un vulgaire fait objectif, c'est ce que soutient également Jean-Marie Brohm dans le même site internet si typiquement philosophique et profond (c'est-à-dire aussi sot que prétentieux):

«La mort [...] peut-elle être conçue comme un référent objectif? La mort n'est-elle pas plutôt métaphorisation permanente, allégorie, déplacement, allusion, jeu de langage? L'obstacle est ici l'illusion référentielle, la croyance naïve à l'existence immédiate (c'est-à-dire non médiatisée par le langage, la culture, l'idéologie, la fiction, le fantasme, la croyance, etc.) de la mort comme réalité cernable, délimitable, objectivable, vérifiable, voire mesurable, comme pourrait se l'imaginer un positiviste convaincu. Or, il y a une extrême difficulté à définir la mort comme champ d'études (elle est partout et nulle part) et comme objet, d'une grande complexité et évanescence, aussi bien synchroniquement que diachroniquement, puisque, qu'on le veuille ou non, la mort n'est pas un objet comme les autres, mais une transversalité intersubjective, une relation entre sujets (vivants ou déjà morts), un être-de-langage, un signifiant dont le signifié est très ambigu et hyper-polysémique et dont les référents sont incertains, en tous les cas extrêmement multiples: qu'y a-t-il sous le masque de la mort? Que peut-on en dire? Peut-on même la penser, la conceptualiser?» (*Ontologie de la mort*, www.philagora.net/philo-fac/brohm.htm>). Seuls de naïfs sophistes comme moi (les inévitables «rationalistes, positivistes, scientistes» bêtes et méchants) peuvent croire qu'il en serait autrement, bien sûr: «C'est là un scandale ou un non-sens irrationnel pour la raison rationaliste, positiviste, scientiste, le savoir de la mort est quasi inexistant, crépusculaire, frappé d'incertitude. Que savons-nous de la mort? Quasiment rien, des bribes d'incertitude, d'autant qu'elle est excessivement difficile à penser clairement et distinctement. La mort est quasiment informulable, inimaginable, infigurable» (*ibid.*). Pour se reposer un peu de telles élucubrations, on pourra lire par exemple Steven Luper, article «Death», *The Stanford Encyclopedia of Philosophy (Winter 2002 Edition)*, Edward N. Zalta (dir.), http://plato.stanford.edu/archives/win2002/entries/death/>.

47. Sans surprise, le même J.-M. Brohm pour qui la mort est pratiquement impensable ne fait plus montre d'autant de réserves devant l'idée de l'*immortalité* (au sujet de laquelle il se réfère à Louis-Vincent Thomas, Jean Ziegler, Karl Jaspers et Max Scheler): «C'est l'Au-delà qui donne sens à l'Ici-bas, comme la mort donne sens à la vie et le non-encore-advenu (le futur de la mort certaine) au déjà-vécu (le passé et le présent de l'existence). Et comme l'âme donne sens au corps. La thanatologie a ceci de

spécifique qu'elle ne peut, sous peine de mourir instantanément, récuser cette problématique ontologique de la survivance qui traverse au demeurant toute l'histoire de la métaphysique occidentale. [...] Comme l'a bien repéré Karl Jaspers, la soif d'éternité n'est pas dépourvue de sens. Il y a quelque chose en nous qui ne peut croire être destructible. La tâche de la philosophie est de jeter quelque clarté sur la nature de ce quelque chose. [...] Sa culture philosophique [celle de L.-V. Thomas] lui avait fait admettre que toute âme est immortelle comme le proclamait Platon dans *Phèdre*, non pas forcément comme personne spirituelle ou substance, mais comme aspiration anthropologique légitime (survivance éternelle) et aussi comme projet à faire advenir» (*Ontologie de la mort*, *op. cit.*, www.philagora.net/philo-fac/brohm.htm>). Bref, si la mort est presque impensable, l'immortalité de l'âme l'est beaucoup moins.

48. «Le philosophe et la mort», entretien avec Christian Chabanis, *op. cit.*, p. 342. Un matérialiste comme André Comte-Sponville semble céder à la même tentation: «Il n'y a rien, dans la mort, à penser. Qu'est-elle? Nous ne le savons pas. Nous ne pouvons pas le savoir. Ce mystère ultime rend toute notre vie mystérieuse» (*Présentations de la philosophie*, Paris, Albin Michel, 2000, p. 59). Mais il se corrige un peu plus loin: «Je fais partie de ceux à qui le néant paraît le plus probable — tellement probable que cela fait, en pratique, comme une quasi-certitude» (*ibid.*, p. 66).

49. Cité par Suzanne Bernard, *Et si la mort m'aidait à vivre?*, Loretteville, Le Dauphin blanc, 2002, p. 71.

50. Axel Kahn, *L'avenir n'est pas écrit*, Paris, Bayard, 2001, p. 44. Je souligne.

51. François Hervé, «Le psychisme et la mort», dans le collectif *Réflexions sur la mort*, Paris, De Vecchi, 2002, p. 159.

52. Cité par John White, *Apprivoiser la mort*, *op. cit.*, p. 20. Voir aussi le passage suivant: «It is true that the statement "All men are mortal" is paraded in text-books of logic as an example of a general proposition; but no human being really grasps it, and our unconscious has as little use now as it ever had for the idea of its own mortality...» (*The Uncanny* [*Das Unheimliche*], 1919).

53. Voir «Notre attitude à l'égard de la mort», dans *Essais de psychanalyse*, Paris, Payot, 1966, p. 263.

54. Seule exception connue de moi, celle d'Olivier Reboul avec l'article «Apprendre à mourir», qui présente un éloge du

loisir et de l'affectivité (capacité de sentir et d'aimer) qui sont tout ce qui reste au mourant. Il en disait ainsi: «Quand on a de grandes chances de mourir, on se dit qu'apprendre à mourir est aussi important qu'apprendre à vivre. Apprendre à vivre, c'est s'efforcer d'accroître ses pouvoirs. Chaque homme est plus ou moins doué mais, toujours, c'est en apprenant qu'il forme ses dons; sinon, il ne serait pas homme. Or, il en va tout autrement de l'apprendre à mourir qui est en quelque sorte, *un désapprendre*. Le bébé qui fait ses dents apprend [...] au sens où il découvre, d'ailleurs dans la douleur, une puissance nouvelle. L'homme d'âge qui perd ses dents, apprend lui aussi quelque chose mais les deux acquis sont opposés et irréversibles. Il existe un apprendre à mourir au même titre que l'apprendre à être, [qui] a les mêmes caractères [...] mais tous inversés. On apprend progressivement à perdre tous ses pouvoirs, à ne plus être. [Mais cela] peut établir en nous une lucidité, une réconciliation, une joie. Il est recommandé d'utiliser le loisir. Actifs, nous passons à côté d'une foule de choses. Maintenant, "passifs", nous pouvons nous occuper de plantes, de musique, de peinture, en fait, de n'importe quoi, étant bien précisé que le n'importe quoi est destiné à ne servir à rien... Une seule puissance nous reste: l'affectivité — la force d'aimer ou de haïr — et elle nous reste libre. Apprendre à mourir, c'est apprendre à se réconcilier avec soi-même, c'est découvrir les autres, à commencer par ses ennemis, c'est découvrir un au-delà des torts et des raisons, une sorte de grâce qui nous est offerte, c'est jouir de la nature avec une intensité qu'on n'a jamais connue quand on apprenait à vivre. Apprendre à mourir, c'est avant tout apprendre à être heureux, heureux de ce qui nous reste et qui n'en est que plus précieux. Apprendre à mourir [...] pour arracher à la mort sa victoire!» (dans Renée Bouveresse (dir.), *Éducation et philosophie. Écrits en l'honneur d'Olivier Reboul*, Paris, PUF, 1993, p. 49-57). À la rigueur, parce qu'elles auraient été rédigées dans sa vieillesse, on pourrait aussi songer aux *Pensées pour moi-même* de Marc Aurèle. À moins peut-être de compter dans ce genre, en vertu de son second titre, l'ouvrage posthume de sir Humphry Davy, *Consolations in Travel, or The Last Days of a Philosopher*, publié en 1830, dont la traduction française est accessible grâce à la bibliothèque électronique Gallica de la BNF (LES DERNIERS JOURS D'UN PHILOSOPHE), à l'adresse ftp://ftp.bnf.fr/003/ N0037214_PDF_1_409.pdf>. Notons au passage que la littérature offrirait une ample moisson de textes traitant de la mort.

Sans remonter jusqu'à Sophocle ni Villon, j'en rappellerai quelques-uns sur lesquels des amis ont attiré mon attention : Hugo, *Les derniers jours d'un condamné à mort*; Hermann Broch, *La mort de Virgile*; Thomas Mann, *La mort à Venise*; Tolstoï, *La mort d'Ivan Ilitch* («Il chercha sa terreur accoutumée. Où es-tu, ma douleur? Il ne la trouva plus. Où est-elle? Quelle mort? Il n'avait plus peur parce que la mort aussi n'était plus. Au lieu de la mort, il voyait la lumière. "Voilà donc ce que c'est" prononça-t-il soudain à voix haute. "Quelle joie!"»); Arthur Schnitzler, *Mourir* («Alors les grilles se mirent à danser, à les suivre en dansant, et le ciel derrière eux, et tout, tout dansait à leur suite. De loin montaient des sons, des accords, des chants, si beaux. Et tout devint noir…»); Roger Martin du Gard, *Les Thibault : La Mort du père*; James Agee, *Une mort dans la famille*; Jean Reverzy, *Le passage*; Fritz Zorn, *Mars*; Bernard Clavel, *Le tambour du Bief*; Pierre Boulle, *Histoires perfides*; C. S. Lewis, *Apprendre la mort*; Simone de Beauvoir, *Une mort très douce*; Ernest J. Gaine, *A Lesson Before Dying*; Eugène Ionesco, *Le roi se meurt*; Betty Rollins, *Le dernier souhait*; Geneviève Jurgensen, *La disparition ;* Antonio Tabucchi, *Les trois derniers jours de Fernando Pessoa. Un délire*; William Gaddis, *Agonie d'agapè*; Ruth Picardie, *Avant de vous dire adieu*; Pierre Monette, *Dernier automne* («Nous sommes peu de chose, mais ce peu est tout ce que nous sommes; nous ne serons jamais rien de plus, rien d'autre : de la matière qui respire; nous passons comme un souffle, nous ne sommes que ce souffle. Vivre, c'est faire en sorte que la matière ne perde pas tout à fait son temps à être ce que nous sommes»); Jeanne Demers, *Sursis, ou de mort dénoncée l'impossible poème*; etc.

55. *L'être et le néant* (1943), Paris, Gallimard, «Tel», 1994, «Ma mort», p. 584–585.

56. Cité par Suzanne Bernard, *Et si la mort m'aidait à vivre?*, *op. cit.*, p. 37.

57. «Il paraît que le poète Henri Michaux est mort seul, au petit matin, oublié de tous dans un hôpital parisien» (Bernard Martino, *Voyage au bout de la vie*, Paris, TF1 et Balland, p. 290).

58. Qu'on songe à la mort du compositeur Anton Webern, abattu par un soldat américain en septembre 1945 alors qu'il était sorti fumer une cigarette en dépit d'un couvre-feu, pendant qu'on perquisitionnait chez son gendre soupçonné de marché noir. Ou encore à celle du philosophe du cercle de Vienne Moritz Schlick, assassiné par un étudiant détraqué avant l'un de ses cours.

59. M. W. Kamath, *Philosophy of Death and Dying*, cité par John White, *Apprivoiser la mort, op. cit.*, p. 121.

60. Incroyable? Lisons plutôt ce témoignage du Dr Rony Brauman: «Les gens, en général, n'attendaient pas la vérité, en tout cas, pas qu'on leur apprenne le pire. Des individus, éventuellement, l'attendaient. J'ai senti, de la part de certains, une demande très forte dans ce sens. En général, les gens en fait le savent, mais ils le refusent. Chez certains, on sent une demande de confirmation. À ce moment-là, je le disais, puisque c'était ce qu'ils attendaient. Je n'affirme pas que cela ne posait aucun problème, mais en tout cas, on pouvait alors en discuter avec eux. À la plupart, je disais non. Je banalisais complètement: "Pensez donc, vous avez là quelques ennuis, mais ce n'est rien du tout." Alors qu'il s'agissait de la phase terminale de cancers généralisés: "Ne vous inquiétez pas, tout va très bien; la situation est sous contrôle: dans quinze jours vous sortez et c'est terminé." Mais trois semaines après, ils étaient morts. Je n'éprouvais aucune honte à faire cela: mon seul problème était d'avoir l'air convaincant. En fait, il s'agit d'être suffisamment convaincu soi-même de l'importance d'encourager les gens, et vous avez l'air convaincant» (entretien avec Christian Chabanis, «Le médecin devant la mort», dans *La mort, un terme ou un commencement?, op. cit.*, p. 317-318).

61. «Le principal tourment d'Ivan Ilitch était le mensonge, ce mensonge admis on ne sait pourquoi par tous, qu'il n'était que malade et non pas mourant et qu'il n'avait qu'à rester calme et qu'à se soigner pour que tout s'arrangeât. [...] Il souffrait de ce qu'on ne voulût pas admettre ce que tous voyaient fort bien ainsi que lui-même, de ce qu'on mentît en l'obligeant à prendre part à cette tromperie. Il fut bien des fois sur le point de leur crier, tandis qu'ils arrangeaient autour de lui leurs petites histoires: assez de mensonges, vous savez et je sais moi-même que je meurs. Cessez au moins de mentir!»

62. Voir par exemple Penelope Schofield *et al.*, «Optimism and Survival in Lung Carcinoma Patients», *Cancer*, vol. 100, n° 6, 15 mars 2004, p. 1276-1282.

63. Voir Hans Jonas, *Le droit de mourir*, Paris, Payot & Rivages, 1996; T. L. Beauchamp (dir.), *Intending Death. The Ethics of Assisted Suicide and Euthanasia*, Englewood Cliffs (N. J.), Prentice-Hall, 1996; Robert M. Veatch (dir.), *Medical Ethics (2nd Edition)*, Boston (Mass.), Jones & Bartlett, 1997; Collectif, *L'euthanasie, encore un tabou?*, Mouans-Sartoux, Publications de

l'École moderne française, 1999; James Rachels, *The End of Life. Euthanasia and Morality*, Oxford, Oxford University Press, 1987; Bonnie Steinbock (dir.), *Killing and Letting Die*, Englewood Cliffs (N. J.), Prentice-Hall, 1981; Paula La Marne, *Éthiques de la fin de vie*, Paris, Ellipses, 1999; Jacques Pohier, *La mort opportune: les droits des vivants sur la fin de leur vie*, Paris, Seuil, 1998.

64. Je suis absolument sans illusion quant à l'effet que pourrait exercer ce genre de commentaire. En 2004 au Canada, on évaluait à 145 500 le nombre de nouveaux cas de cancer et à 68 300 le nombre de décès attribuables au cancer. En moyenne, *chaque semaine*, 2 798 Canadiens et Canadiennes recevront un diagnostic de cancer et 1 313 mourront des suites de la maladie. Quant au Québec seul, on estime que 36 400 nouveaux cas de cancer y sont diagnostiqués chaque année (18 300 femmes et 18 100 hommes), tandis qu'on enregistrerait environ 18 400 décès (8 500 femmes et 9 900 hommes). D'après ce que je comprends, l'hôpital Notre-Dame fournirait chaque année environ cinquante mille consultations et quinze mille hospitalisations pour des cas de cancer (je ne parle pas des trois composantes du Centre hospitalier de l'université de Montréal, mais bien d'une seule). De temps à autre, les journaux publient cinq ou six témoignages de patients satisfaits, deux ou trois de patients insatisfaits, etc. Imagine-t-on l'écho que cela peut avoir sur les administrateurs du système lorsqu'ils ont à gérer des *dizaines de milliers* de cas? Notre médecine de masse, hautement technologisée, ne connaît plus la relation personnelle d'antan entre médecin et patient. Par contre, n'oublions pas qu'à l'époque les grands malades mouraient pratiquement tous sans soins et dans les souffrances, les traitements «modernes» n'ayant alors même pas été inventés. Notons qu'il serait utile de comparer notre situation à celle d'autres pays. Voir par exemple Marco Marzano, *Scene finali. Morire di cancro in Italia*, Bologne, Il Mulino, 2004.

Fragments autobiographiques

Seules les circonstances expliquent ces quelques pages de souvenirs.

En temps normal, j'aurais hésité à raconter ma jeunesse et mon passé, comme le veut le rituel pour les personnes âgées, mais il est probable qu'à l'approche de la fin on a plus facilement l'illusion qu'il ne faudrait pas laisser se perdre irrémédiablement les quelques souvenirs qui nous restent, peu importe ce qu'ils peuvent valoir «objectivement» (c'est-à-dire à la fois pour les autres et quant à la place qu'ils laissent à nos éventuels «mauvais coups» ou «mauvaises actions»).

En outre, la conscience de la mort prochaine contribue sans doute à totaliser, unifier ou boucler la représentation que nous nous faisons de notre propre vie envisagée dans son ensemble : le passé fait retour et il y gagne inévitablement un certain relief.

Et puis léguer quelques souvenirs, c'est aussi une manière de chercher à s'inscrire dans le flot de la vie qui va continuer après nous — une tentative de plus pour donner un peu de sens à notre existence, je suppose[1].

---

1. «Quand un être, au seuil de la mort, nous raconte sa vie et qu'on sait qu'à travers les expériences qu'il nous rapporte il cherche à sentir ce qui a fait du sens dans cette vie, on se dit que

Bref. À l'initiative de mon ami et éditeur Giovanni Calabrese, nous avions commencé une série d'entretiens que la maladie a interrompus. On en trouvera ci-dessous l'essentiel, dans la forme imparfaite et incomplète où nous avons dû les abandonner.

---

cet acte du récit de vie était le dernier acte dans lequel la personne a vraiment essayé de comprendre et de nous délivrer un fragment de son histoire particulière en nous disant : "Voilà ce que j'ai été !" Je crois que les personnes ont besoin de dire qui elles ont été » (Marie de Hennezel, dans Nourit Masson-Sékiné (dir.), *Le courage de vivre pour mourir*, Paris, Albin Michel, 2002, p. 152-153).

Je suis d'origine française. Non seulement je n'en tire aucune fierté particulière, mais j'en aurais presque honte. Subjectivement, sans trop savoir comment ni pourquoi, j'ai rejeté hors de moi, dans les ténèbres extérieures, la France et les Français — ce qui bien entendu ne m'empêche pas, objectivement, d'en être resté un moi-même! C'est d'ailleurs la principale raison, je présume, pour laquelle Patrick Straram m'a adopté si facilement en 1967, car il me semble qu'à part ça j'étais vraiment très loin de lui ressembler. Je vais y revenir. En fait, je ressemblais davantage à un jeune curé intellectuel qu'à un *hobo* anarchisant.

Quoi qu'il en soit, j'ai eu une enfance et une jeunesse assez tranquilles, dans une petite ville d'une région relativement pauvre, le Massif central, et dans une famille modeste où la culture se résumait, à peu de choses près, au poste de radio. J'étais un grand bavard et un élève peu brillant, mais j'adorais la lecture et je lisais réellement beaucoup. Durant ces années-là, quatre événements me paraissent avoir joué un rôle déterminant dans ma vie.

Tout d'abord, il s'est trouvé que mes amis les plus proches étaient des fils de bourgeois ayant des ambitions «artistiques» (deux peintres et un architecte, en herbe évidemment) et qu'ils m'ont encouragé à faire du théâtre amateur, à écrire des poèmes, etc.

Ensuite, élevé dans un milieu catholique, j'ai brutalement et absolument perdu la foi dès mon accession à l'adolescence, vers douze ans.

En troisième lieu, mes parents, désespérés par mes piètres résultats scolaires, m'ont conduit vers douze ou treize ans chez un psychologue que ma mère connaissait par relations de voisinage et qui, après m'avoir fait passer toute une batterie de tests, leur a affirmé que j'étais très intelligent et qu'il fallait me faire confiance, ce qui par la suite m'a grandement facilité bien des choses. Cet homme étrange, manchot et toujours vêtu de noir de la tête aux pieds, m'avait assuré que tous les métiers de la parole et du langage s'ouvraient devant moi: vendeur, avocat, politicien, journaliste, professeur, écrivain. Je peux dire que ses paroles n'étaient pas tombées dans l'oreille d'un sourd.

Enfin, à dix-huit ans — et à la surprise générale —, j'ai remporté le troisième prix d'un prestigieux concours national de dissertation philosophique. C'était, je crois, le résultat d'une intoxication anormalement précoce et intense à cette discipline, car j'avais commencé par moi-même à lire des livres de philo vers quinze ans, après que le ridicule «Que Sais-je?» de Paul Foulquié sur l'existentialisme m'eut transmis prématurément une véritable passion qui ne m'a plus quitté depuis. D'après moi, tout le reste s'en déduirait sans beaucoup de peine.

En ce qui concerne les «raisons de mon émigration», je dois dire qu'une telle formule n'a guère de signification dans mon cas. Je suis un enfant du cosmopolitisme étatique. Durant l'après-guerre, les États occidentaux ont mis sur pied divers programmes d'échanges auxquels avaient tout spécialement accès les jeunes. Dans la plupart des cas, cela se traduisait par de simples stages d'un an ou deux à l'étranger, le plus souvent dans les anciennes colonies. Mais dans d'autres cas, le changement de pays devenait finalement permanent, solution que parfois la société d'accueil souhaitait et faisait son possible pour favoriser.

C'est ce qui m'est arrivé. J'avais vingt-quatre ans et étais au Québec depuis deux ans, comme je l'expliquerai, quand j'ai eu à choisir; cet été-là ma mère est morte des suites d'une longue maladie. À Montréal, une vie nouvelle m'attendait, j'avais une compagne québécoise et un emploi assuré, tandis que de l'autre côté de l'Atlantique, je n'avais plus grand-chose qui me retenait, sinon des amis de jeunesse déjà dispersés et une famille. Mais à cet âge-là, la famille représente davantage le passé que l'avenir et ne pesait donc pas très lourd[2].

C'est pourquoi, dans mon esprit, je n'ai pas été un véritable immigrant. L'immigrant fait un choix difficile, il s'organise seul, il économise pour un voyage coûteux, il accomplit pour être accepté des démarches souvent longues et compliquées, il doit par lui-même faire sa place dans la société d'accueil, etc. Au contraire, tout m'a été donné sur un plateau d'argent: voyage payé, emploi fourni… Quand j'y repense, la chance que j'ai eue me confond. De toute ma vie, je n'ai jamais cherché un travail.

Cela dit, évoquer cette période me remet en mémoire un fait qui a certainement contribué de manière décisive à ma rupture par rapport à mon pays d'origine. Je suis arrivé avec plusieurs autres jeunes «coopérants»,

---

2. D'autant que je n'avais absolument pas à le répudier: il me suffisait de faire le voyage pour la revoir.

comme on nous appelait, et il y en avait déjà quelques-uns qui travaillaient dans la même institution où je me suis retrouvé. Ils m'ont accueilli, hébergé quelques semaines, piloté dans la ville, et ainsi de suite, facilitant grandement mes premiers pas. Eh bien, qu'on me croie ou non, leur racisme antiquébécois m'a progressivement éloigné d'eux. Quand nous étions entre nous, leur sujet favori consistait à déblatérer contre ceux qu'ils appelaient avec mépris «les Canaques» (il s'agissait probablement d'une adaptation de l'anglais «Canucks», terme péjoratif désignant alors les Canadiens français, un peu comme aujourd'hui on écrit plaisamment à Paris «pipole» pour *people*).

Je me rappelle que l'une de leurs formules favorites était: «Au pays des aveugles, les borgnes sont rois», qu'ils appliquaient volontiers aux directeurs de notre école. Comme j'avais une petite amie québécoise, j'ai été peu à peu rejeté. Ce fut même tout à fait explicite: un jour où ils m'invitaient à une soirée entre copains, l'un d'eux m'a demandé de venir *sans ma compagne*! Or, j'avais des idées de gauche, progressistes, antiracistes et je savais reconnaître la bête quand je la voyais. Inutile de dire que la plupart d'entre eux sont repartis à la fin de leur stage de coopération…

Quand j'affirme que le sentiment de supériorité des Français peut facilement devenir *sans bornes*, je sais de quoi je parle. En général, tout immigrant doit traverser une période d'humilité forcée due, entre autres, à son apprentissage d'une langue nouvelle. Mais pour un Français qui débarque au Québec, c'est plutôt l'inverse qui se produit, puisqu'il est même considéré en quelque sorte comme un porteur naturel et involontaire de la norme linguistique. C'est là une combinaison qui peut être, et qui est en général, catastrophique.

Bien entendu, ce n'est pas à moi de dire jusqu'à quel point j'y ai ou non échappé. Mais ne me demandez jamais de protester contre le mythe du «maudit Français», car je le crois, ne serait-ce qu'en partie, bien fondé.

Maintenant, je voudrais ajouter une chose. On dit que le Canada est un pays froid. Eh bien je peux témoigner que je n'ai jamais eu froid dans mon nouveau pays, alors que durant toute ma jeunesse en Creuse, j'avais eu froid aux pieds huit ou dix mois par an!

Septembre 1966 : arrivée à l'aéroport de Dorval et rentrée scolaire à l'Institut de technologie Laval (future composante du cégep Ahuntsic, qui ouvrira un an plus tard) pour un stage de deux ans comme enseignant en philosophie dans le cadre d'un programme de coopération négocié par Gérin-Lajoie. J'ai en poche un diplôme de licence ès-lettres en philosophie et une scolarité de troisième cycle. En 1969, je retourne pour un an à Paris, en congé sans solde du cégep. Ma compagne d'alors y fait une année de sociologie et, moi, je suis très exactement «vacataire» à la Sorbonne, où j'assure un petit cours (enseignement de l'anglais appliqué à la philosophie). Cette année-là a alors, dans mon esprit, une fonction précise : m'assurer hors de tout doute que je ne veux plus vivre là-bas et que mon choix de m'établir à Montréal est irréversible. Expérience pleinement réussie. Peu importe les raisons profondes (était-ce mon allergie à la hiérarchie sociale française, ou bien l'attirance pour la vie relativement facile qui s'offrait à moi, etc.), le fait est que mon choix s'est avéré définitif et dénué d'hésitation.

Dès l'âge de seize ou dix-sept ans, je voulais devenir professeur de philosophie, journaliste et auteur. À vingt-deux ans, l'occasion se présentait. Par ailleurs la vérité, c'est qu'à cette époque un «semi-diplômé» (ce que j'étais, il faut bien l'avouer) pouvait enseigner même à l'université.

J'ai effectivement enseigné à l'université du Québec à Montréal, où j'ai été chargé de cours, d'abord en études littéraires (à cause du sujet de mon projet de mémoire de troisième cycle, qui portait sur «l'épistémologie des études littéraires») puis en philosophie durant quelques années (je me rappelle un cours sur Nietzsche, vers le début ou le milieu des années 1970). D'ailleurs, quand j'avais pris l'avion pour le Canada en septembre 1966, j'avais en main un papier du ministère français des Affaires étrangères disant que j'allais enseigner à l'*université* Laurentienne de Sudbury, en Ontario (car tout le pays avait finalement signé la même entente que celle inventée par Gérin-Lajoie pour le Québec). Mais à l'arrivée à l'aéroport de Dorval, changement de programme, un fonctionnaire m'a appris que je restais à Montréal. À quoi tient une vie.

En fait, diplômes mis à part, je suis convaincu que le cégep me convenait beaucoup mieux que l'université. Quant à la question du statut de mon enseignement par rapport à la «philosophie», elle ne s'est jamais posée pour moi en termes de tensions ou de difficultés. Dès le début, j'ai milité en faveur d'un enseignement de «culture générale» qui, idéalement, serait dispensé par un corps enseignant multidisciplinaire (des diplômés en histoire, en sociologie, en philosophie, en sciences politiques, etc.). Évidemment, ça n'a pas marché. Mais je trouvais le programme trop philosophique et je faisais mon possible (qui était grand) pour le tirer dans le sens de ce que j'ai appelé parfois de l'«animation socioculturelle». Je me sentais au cégep comme un poisson dans l'eau.

J'ai commencé ma carrière de publiciste, puis d'auteur, au début des années 1970. Que dire de cette époque?

J'aurais préféré ne pas expliquer des choses aussi peu intéressantes. Je suis apparemment affecté d'une petite anomalie mentale, qui heureusement ne me fait pas du tout souffrir: ma mémoire ne fonctionne pas normalement. Enfin, je suppose que ma mémoire ne fonctionne pas normalement, parce que les autres semblent trouver ce genre de question tout à fait naturelle alors que, pour moi, ça n'a à peu près aucun sens. Le début des années 1970, pour reprendre cet exemple, ça n'évoque absolument rien chez moi. Ni faits ni climat. Alors ou bien je ne dis rien, ou bien j'entreprends un travail artificiel de reconstruction.

En effet, je sais que j'ai débuté dans l'enseignement en septembre 1966 et que j'ai passé l'année scolaire 1969-1970 à la Sorbonne à Paris. J'ai commencé à faire du journalisme au *Devoir* à l'occasion de l'Exposition universelle de 1967[3].

Je peux ainsi retrouver intellectuellement quelques dates, mais ça s'arrête vite et je n'arrive même pas à reconstituer une réalité tangible. Alors la seconde étape pour moi c'est de m'adonner à des vérifications. Je vais aller voir dans un vieux *curriculum vitæ* pour essayer de savoir en quelle année j'ai quitté *Le Devoir* pour écrire dans *Hobo-Québec*, quand la revue *Chroniques* a été créée, ou bien je vais regarder dans un vieil exemplaire pour savoir quand mon premier livre a été publié. 1975. En interrogeant ma compagne, je pourrais retrouver les divers endroits où j'ai habité durant la période considérée — toujours au centre, quelque part aux alentours de l'intersection des rues Sherbrooke et Saint-Denis.

C'est seulement comme ça que, petit à petit, il risque parfois de me revenir finalement à l'esprit une chose qui

---

3. Au *Devoir* je signais «Laurent Colombourg», et peut-être même à *Sept-Jours* ou à *Hobo-Québec*, je ne me le rappelle plus. La

va me parler. En l'occurrence, que ce sont «mes années Straram». Car rétrospectivement, il me semble que Patrick Straram a joué un rôle déterminant dans ma vie entre 1967 et 1975, environ. Mais là encore, je suis devant un tableau extrêmement lacunaire et ténu : je ne sais par exemple ni où, ni quand j'ai fait sa connaissance, et comme il est mort depuis longtemps je ne vois aucun moyen de jamais le savoir.

Par contre, tout cela déclenche une suite d'associations qui me replongent dans ce passé lointain auquel je ne repense jamais, disons la période qui va de mon arrivée à Montréal en 1966, à vingt-deux ans, à la publication de mon premier livre en 1975, où j'ai donc trente et un ans. Je revois vaguement le jeune homme dans la vingtaine que j'étais alors. J'étais assez ignorant et il devait m'arriver plus souvent qu'à mon tour de me prononcer sur un auteur que je n'avais pratiquement pas lu, mais j'avais une curiosité insatiable et un culot proportionnel à mon ignorance.

Ma vie était relativement simple. Pour commencer, j'avais mon métier de professeur que j'adorais et qui me laissait beaucoup de liberté et de temps, tout en m'assurant un revenu raisonnable et régulier. Ainsi que je l'ai dit, je m'y voyais comme une sorte d'animateur socioculturel. Je racontais déjà que mon objectif principal en classe, c'était que l'élève moyen lise un jour *La Presse* plutôt que *Le Journal de Montréal* !

Ensuite, j'avais une activité «culturelle» tous azimuts : je lisais sans arrêt, que ce soient des journaux, des

---

raison de ce pseudonyme était qu'en principe mon statut de «coopérant français» ne me permettait aucun revenu autre que l'allocation officielle. La seule conséquence durable en fut l'adoption définitive de ce qui allait devenir mon second prénom (Laurent).

magazines, des revues, des livres, et puis j'allais sans cesse au cinéma (il y avait une sorte de cinémathèque dont les projections avaient lieu à l'université McGill, si je me souviens bien), je visitais des expositions, etc. Enfin, j'écrivais des articles sur tout et rien dans des publications qui m'engageaient Dieu sait comment et pourquoi — dans le cas du *Devoir*, je n'en ai absolument aucune idée, c'est un vrai mystère à mes yeux, mais dans les cas de *Sept-Jours* et de *Hobo-Québec*, c'est certainement grâce à l'influence de Patrick Straram.

Comment faisais-je pour passer ainsi pour journaliste? Je me le demande encore. Comment toutes les portes s'ouvraient-elles devant moi? Aucune idée. Quand je pense que j'ai interviewé Borges, Paulhan, Barthes, Aron, je n'en reviens pas moi-même. Tout cela me paraît à la fois naturel et vaguement surréaliste.

En ce qui concerne ces interviews, je n'ai aucune certitude quant à leur chronologie. J'ai rencontré Raymond Aron ici, sans doute à l'occasion de l'Expo 67. Borges m'a reçu dans sa suite au Ritz-Carlton, mais je ne sais plus à quelle occasion il était de passage ici, probablement l'Expo aussi. Ces deux textes-là ont paru dans *Le Devoir*. Paulhan, je croirais que c'était à l'occasion d'un voyage d'été en Europe en 1968 (je suis allé chez lui, en banlieue parisienne, avec un copain cinéaste qui a pris quelques photos). Barthes, peut-être en 1969-1970, je ne sais plus, dans son appartement près de Saint-Germain-des-Prés. Ces deux-là ont été publiés dans *Sept-Jours*, où je me suis fait engueuler par Yves Thériault (il paraît qu'il raconte l'incident dans ses *Mémoires*…).

Tout ça est passablement confus dans ma tête et je n'ai rien conservé chez moi qui date de cette époque (mais les périodiques concernés, et donc les textes en question, sont à la Bibliothèque nationale, je suppose).

Loin de moi de prétendre dire qui était véritablement Patrick Straram. Tout ce que je peux affirmer, c'est
qu'il m'a pris sous son aile au moment où je faisais mes
premiers pas. Dieu sait quand, comment et pourquoi.
Sauf erreur, vers 1967, il habitait rue de la Montagne et
moi rue Bishop, à deux pas l'un de l'autre, donc, juste au
sud de la rue Sainte-Catherine. Je me souviens aussi qu'il
a logé ensuite rue du Fort, près de l'ancien Forum.

Il me donnait sans arrêt des ordres. «Vacher, tu viens
chez moi demain j'ai un disque à te faire écouter» (et
c'étaient les Doors). «Vacher, je t'attends, il faut qu'on
aille faire un tour chez Pauline et Gérald» — et j'aper-
cevais Réjean Ducharme qui peignait un mur dans leur
escalier, au carré Saint-Louis, puis Pauline Julien
menaçait de me jeter dehors parce que j'avais émis
quelque doute sur le nationalisme, mais Straram prenait
ma défense en proclamant: «Je réponds de lui.»

«Vacher, si tu veux pas que je te traite comme un
petit con, cesse d'agir comme un petit con» — et il avait
raison, en général. «Vacher, je t'attends à la taverne
demain matin à neuf heures.» Ça, c'était spécial, car
Straram était d'un alcoolisme proprement démentiel et
moi, avant six heures du soir, je commandais toujours
une espèce d'eau minérale, la «V de Vée» ou quelque
chose du genre, ou encore un jus de tomate, et lui qui en
était déjà à sa énième bière se moquait gentiment, sans
jamais s'en formaliser. «Vacher, si tu rates le spectacle de
flamenco chez notre ami Pedro, je veux plus jamais
entendre parler de toi.» Et j'allais docilement à l'Asocia-
ción Española le soir même, où j'avoue que je ne buvais
pas d'eau minérale.

«Vacher, viens avec moi, je viens d'être engagé
comme critique de cinéma dans un nouveau magazine

baptisé *Sept-Jours* et je leur ai dit que tu ferais l'affaire pour les livres étrangers.» Incroyable mais vrai. Il m'a fait entrer à *Sept-Jours*, puis je l'ai suivi à *Hobo-Québec* et plus tard à *Chroniques*. Ça n'avait pas de limites: «Vacher, viens avec moi, on va s'inscrire au Festival des films comme critiques accrédités» et, hop, je me retrouvais bel et bien critique accrédité au Festival des films… J'aimais réellement ses goûts cinématographiques et musicaux, même si je n'ai jamais partagé sa passion pour le jazz (je nous revois pourtant écoutant un spectacle d'Archie Shepp dans une petite boîte, située dans un sous-sol rue de la Montagne, en compagnie de Warren Beatty et de sa dernière conquête du jour, une fille absolument superbe, il va sans dire). Tout cela ne m'empêchait pas de trouver son style plutôt prétentieux et délirant; alors, je ne lisais pas ses livres et je refusais autant que possible ses simagrées de Bison-ravi et tout ce spectacle qu'il créait de main de maître.

Mais au fond, je ne le connaissais pas tant que ça. Par exemple, j'ignorais qu'il était, ou avait été, situationniste et qu'il faisait partie des correspondants de Guy Debord.

Bref, ça a duré des années, et puis nous nous sommes vus de moins en moins, bien que nous ayons été voisins une seconde fois, assez longtemps après, dans les parages du boulevard Saint-Joseph et de l'avenue Papineau. Sa vie personnelle me faisait peur, je crois.

Quoi qu'il en soit, je lui dois beaucoup. Nombreux sont ceux avec qui j'ai travaillé alors et par la suite (André Roy, Madeleine Gagnon, Philippe Haeck, Jean-Marc Piotte, pour n'en nommer que quatre) et que j'ai connus par son entremise.

Pour finir, malheureusement, je dois en revenir à ce que je disais de l'attitude hautaine des Français face aux Québécois. Un jour que nous étions, au cégep de Chicoutimi, tout un groupe d'auteurs des éditions de l'Aurore (où régnait alors Victor-Lévy Beaulieu) et que nous participions à des débats avec le public, j'avais dit je ne sais plus quelle niaiserie et Patrick, assis à côté de moi, m'avait murmuré «Tu sais, il faut les comprendre, ils ne sont pas encore mûrs pour certaines idées». À cet instant, quelque chose s'est cassé, j'ai senti que j'en avais assez. Les gens qui vivent ici depuis des lustres mais qui disent «ils» en parlant du Québec et des Québécois, je les supporte mal. En un sens, je me leurre peut-être en disant «nous», mais je préfère dire «nous».

Quant au contexte historique, je n'en ai qu'une très vague image. Des événements d'octobre 1970, par exemple, tout ce qui me reste ce sont les réactions passionnées de notre voisin! J'habitais, avec ma compagne d'alors, un logement aujourd'hui démoli, rue Sherbrooke, en face de l'actuel Institut Goethe. En dessous logeait le concierge — à moins qu'il ne se soit agi d'un locataire, mon souvenir est imprécis — un type très jeune et assez bizarre, plutôt dépenaillé et agité, qui montait l'escalier arrière et arrivait chez nous par le balcon, pour nous raconter avec une excitation incontrôlable chaque nouvelle péripétie des enlèvements, des interventions des politiciens, puis de l'armée, etc. On dit, à présent, que les années 1970 ont été une période d'effervescence sans égal, mais il me semble que pour moi c'était la vie normale, tout simplement, et que je n'imaginais pas autre chose.

Sur le moment, je pense que c'est une convergence «idéologique» qui paraissait rapprocher les membres de l'équipe de *Chroniques*. Marxisme, féminisme, indépendantisme en étaient sans doute les points centraux. Mais rétrospectivement, ce qui me frappe c'est plutôt le noyau d'amitiés personnelles autour duquel sont venus se greffer les membres du groupe. Si je faisais la liste, je suis sûr que j'en oublierais, car nous étions quand même relativement nombreux, mais il suffirait de consulter les premiers numéros pour le savoir. Je me souviens de m'être chargé de nous dénicher un local, en l'occurrence un minuscule appartement désaffecté dans une sorte de maison de chambres, rue Wolfe, juste au sud de la rue Ontario. On entrait dans cette maison et ça sentait fort les vieux murs salis de graisse et la pauvreté. Idéal pour des socialistes! C'est là que nous tenions nos réunions, et il me semble que l'hiver on avait parfois un peu de mal à réchauffer les lieux. Il y avait de très fortes personnalités, comme Léandre Bergeron ou Patrick Straram. Je crois m'être accroché, dans une discussion épique, avec Léandre Bergeron au sujet de la langue: le «québécois» est-il d'ores et déjà devenu une langue différente du «français»? Je répondais que non[4].

Un second épisode épique dont je me rappelle tournait autour d'une autre épithète, «fasciste», que Jean-Marc Piotte (sauf erreur, car en vérité je ne suis plus certain de rien, comme je l'ai déjà dit) employait dans un projet d'éditorial dénonçant le gouvernement libéral de

---

4. Mais peut-être avais-je tort, car un jour, à propos de je ne sais plus quelle critique, j'ai lancé à Thérèse Arbic (à moins que ce ne soit Thérèse Dumouchel...) qu'elle avait été plutôt «vache». Dans ma parlure, une attitude «vache» est une attitude «méchante», ni plus, ni moins. Je voulais probablement dire qu'elle faisait preuve d'un excès de méchanceté («vacherie») à l'égard du spectacle qu'elle critiquait, puisqu'elle assurait la chronique théâtrale. Eh bien, je n'ai pas tardé à comprendre que dans la sienne, de parlure, cette expression avait un sens relativement différent, impliquant qu'en m'exprimant ainsi je l'avais considérée, elle-même, comme «une vache», ce qui n'avait pas précisément l'air d'un compliment! Incident diplomaticolinguistique.

Robert Bourassa. J'étais prêt à endosser bien des reproches envers les libéraux et leur chef, mais quand même pas celui de «fascisme». Je ne me souviens plus qui l'avait emporté. Une fois, je crois que j'avais louangé un petit livre critiquant les idées d'Althusser, ce qui m'avait valu quelques reproches. La revue a sombré plus tard dans je ne sais trop quel conflit idéologique entre maoïstes révolutionnaires et réformistes modérés, ou quelque chose du genre. Ce sont les modérés, dont j'étais, qui l'ont emporté — si l'on peut dire, puisque tout ce que ça nous a permis de faire, ce fut de publier un ultime numéro double avant de saborder la revue! Dès le début, j'avais été bombardé «secrétaire à la rédaction» de notre «collectif de production», mais cela ne reflétait absolument aucune autorité, ni intellectuelle, ni personnelle: j'étais tout simplement le seul qui avait dit «si ça peut faire l'affaire, j'aurais le temps de m'en occuper». Dieu sait pourquoi, tous les autres étaient toujours surchargés d'activités et pas moi.

La même chose s'est reproduite avec *Spirale*, un peu plus tard. Tout le monde étant débordé sauf moi, je me suis retrouvé «directeur». Le groupe était issu en partie de *Chroniques*, mais cette fois les plus «politisés» n'étaient pas là et c'est la culture, l'avant-gardisme artistique et le modernisme intellectuel, qui nous réunissaient, davantage que le gauchisme. Dans ce cas-là, je ne me souviens pas de chicanes particulières durant les réunions, ce qui ne signifie aucunement qu'il n'y en eut pas. Par contre, nous avions d'innombrables désaccords. Ainsi, je revois une paire d'articles opposés au sujet des *Mille plateaux* de Deleuze et Guattari: un texte de moi violemment contre (où je crois bien, ironiquement, que je les accusais même de «fascisme»!) et un, positif, de Normand de Bellefeuille, qui les défendait de façon très intelligente, profonde et solide. Quelqu'un m'a raconté peu de temps après que cette double page de *Spirale* avait été épinglée au tableau d'affichage des éditions de Minuit à Paris!

Cela dit, pourquoi *Chroniques* et *Spirale* plutôt que *Brèches* ou *Cul-Q*? Encore une fois, je crois que la réponse n'est qu'accessoirement d'ordre idéologique et principalement de nature personnelle: parce que j'étais proche de Straram et non pas, par exemple, de Jean Leduc (qui pourtant m'avait engagé comme chargé de cours à l'université, avant sa rocambolesque et tragique disgrâce). J'ai travaillé avec des gens remarquables, comme Madeleine Gagnon, Philippe Haeck, Gail Scott, Normand de Bellefeuille, Carole David, André Roy, Roger Des Roches, Gordon Lefebvre, Céline Saint-Pierre, François Charron et j'en oublie malheureusement. J'étais jeune et inexpérimenté. À leur contact, je ne risquais que de devenir un peu meilleur. Je garde de cette époque l'image d'une effervescence intellectuelle absolument délicieuse et enrichissante pour moi. J'en ressens beaucoup de gratitude, même s'il m'est arrivé par la suite d'être ingrat avec tel ou telle d'entre eux (j'avoue que j'ai commis, par exemple, une critique plutôt «vache» d'un livre de Jean-Marc Piotte).

Je ne sais pas si j'ai un jugement sur cette époque. Disons que nous fûmes à la fois les instruments et les artisans de la modernisation accélérée de notre société. Nous étions radicalement «modernes» ou «modernistes» à beaucoup d'égards et cela s'est bien traduit dans les entreprises collectives auxquelles j'ai alors eu la chance de pouvoir participer (*Hobo-Québec*, *Chroniques* puis *Spirale*). Nous avons servi de relais ou de caisse de résonance à la fois au cinéma de la Nouvelle Vague, à l'avant-garde littéraire du genre *Tel Quel*, aux mouvements de contestation gauchistes, à une analyse socialiste et marxisante du monde postcolonial, au féminisme, à l'indépendantisme et j'en passe. Rétrospectivement, il est aisé de constater que tout cela charriait, bien entendu, le meilleur et le pire. Il ne fait aucun doute non plus que nos chemins ont divergé et que chacun a poursuivi son travail, les meilleurs étant les plus inclassables — je songe par exemple aux livres de Normand de Bellefeuille, de Madeleine Gagnon, de Roger DesRoches ou d'André Roy. Tout ce que je peux dire, en réalité, c'est que j'aime passionnément mon époque boiteuse, que j'ai aimé toutes ces entreprises imparfaites, et que c'est en bonne partie grâce à tous ces gens, motivés et complexes, que je suis devenu un peu moins niais et que je me suis embarqué dans l'aventure de l'écriture.

Bien entendu, nous avons sûrement commis des textes dogmatiques ou stupides. Mais je ne renie rien. J'ai une vision dynamique et dialectique du décours temporel d'une vie, d'une société, d'une culture ou d'une œuvre. Deux pas en avant, un pas en arrière, il tombe pour la troisième fois, elle saute un obstacle, *avanti popolo* et vogue la galère. Il ne s'agit pas de prêcher un activisme aveugle, ni de fermer les yeux sur nos mauvais coups, il s'agit d'amour de la vie. C'est aussi pourquoi je n'ai jamais relu ce que j'ai produit avant 1980, mettons, et si quelqu'un me disait que j'ai proféré alors d'insondables sottises je n'essaierais certainement pas de le contredire !

À mon grand étonnement, tout ça m'a rappelé que j'avais publié aussi quelques articles dans la revue *Critère*, fondée par Jacques Dufresne au collège Ahuntsic. Entre autres, j'y ai fait paraître une analyse d'un poème de Gaston Miron, fondée je crois sur les principes de la «grammacritique» de Gilles Des Marchais (parue chez Leméac en 1965), et puis deux traductions de l'italien dont celle d'un écrit d'Umberto Eco, ainsi qu'un essai sur l'épistémologie des études littéraires, justement («De la lecture vécue à la théorie littéraire»). Dieu sait ce que je racontais dans ce dernier texte, seul témoignage du projet de mémoire auquel j'ai fait allusion. Je n'en ai pas le moindre souvenir. Par contre, grâce à la première étude évoquée à l'instant, j'ai fait la connaissance de Gaston Miron, que j'ai beaucoup aimé, que j'ai revu régulièrement durant des années et qui s'est toujours montré très gentil à mon endroit. Et je suis stupéfait de constater que mon article est à présent dans internet[5]!

Les lectures de jeunesse ayant eu sur moi une influence déterminante, j'en citerai plusieurs, sans véritable ordre préférentiel. Sartre a été un éblouissement, un modèle extraordinaire de fusion réussie entre la pensée et l'écriture: des textes comme sa célèbre conférence *L'existentialisme est un humanisme*, ou encore son énorme *Saint Genet, comédien et martyr*, ou bien son admirable réaction à la mort de son ancien ami Maurice Merleau-Ponty («Merleau-Ponty vivant», repris dans je ne sais plus quel volume des *Situations*), sans oublier *Les mots*, m'ont laissé pantois d'admiration. J'ai vu Sartre parler en public, à la même tribune que Jean Ricardou, Simone de Beauvoir et Jean-Pierre Faye, je crois. Son génie brillait comme une lampe de mille watts à côté de petites ampoules de cent watts! J'ai toujours été en désaccord complet avec les principales thèses sartriennes, comme son dualisme radical entre l'être matériel et le libre arbitre absolu du sujet. Mais ça n'avait aucune importance: quelle intelligence, et surtout quelle plume!

5. Voir: <http://agora.qc.ca/reftext.nsf/Documents/Miron Ecrire_rassembler_aimer_par_Laurent-Michel_Vacher>

Ensuite je citerais la grande trilogie critique de Marx, Nietzsche et Freud, ce qui n'a rien d'original, je le reconnais facilement. La lecture de *L'idéologie allemande* et du *Manifeste du parti communiste*, ainsi que des *Œuvres choisies* par Guterman et Lefebvre, m'a profondément marqué, au point que je n'hésite pas à admettre qu'à certains égards je suis encore marxiste aujourd'hui. Par contre, ma relation à Nietzsche est pétrie depuis toujours de profondes contradictions, car d'une part je suis absolument convaincu que le noyau générateur de toute sa pensée est d'une nature proto-fasciste que je rejette violemment, d'autre part sa critique de la religion, de la morale, de la métaphysique et du monde moderne m'apparaît traversée d'éclairs de génie renversants et irremplaçables. Je peux dire que je ne suis pas sorti indemne de ma lecture juvénile de *La généalogie de la morale* ou de *Par-delà le bien et le mal*. Quant à Freud, ce fut une découverte impressionnante. Son *Introduction à la psychanalyse* m'a amené à me poser d'innombrables questions. Je suis convaincu à présent que les spéculations freudiennes ont une valeur très variable ou inégale. Mais Freud reste pour moi un très grand esprit, indiscutablement inscrit dans la tradition rationaliste, matérialiste, naturaliste, athée et scientiste à laquelle je m'identifie.

Cela dit, des livres certainement moins géniaux, voire mineurs, m'ont aussi beaucoup influencé. J'ai parlé du minable «Que Sais-je?» de Paul Foulquié sur *L'existentialisme*, lu dès quatorze ou quinze ans, je pense, et qui a probablement déterminé à lui seul ma vocation philosophique. Je pourrais évoquer *Nietzsche et la philosophie* de Gilles Deleuze, qui n'est qu'un commentaire — mais combien brillant... Je dois nommer aussi *La société du spectacle* de Guy Debord, *Comment je vois le monde* d'Einstein, *Sagesse et illusions de la philosophie* de Piaget, *Les grands problèmes métaphysiques* de François Grégoire (un autre petit «Que Sais-je?», excellent celui-là), *La pensée scientifique moderne* de Jean Ullmo, *La mort* de Vladimir Jankélévitch (livre sur lequel j'ai fait un article élogieux dans *Sept-Jours* — on croit rêver), ou bien l'extravagant *Précis de philosophie moderne* d'un prétendu Roboald Marcas, satire hilarante des badernes spiritualistes qui régnaient sur l'université au temps de mes études (je donnerais cher pour savoir qui est l'auteur véritable de ce pamphlet, tellement représentatif de l'insolence soixante-huitarde).

Dans un autre ordre d'idées, la découverte de la tradition britannique et américaine a été extrêmement importante pour moi. *Langage, vérité et logique* d'Alfred Ayer, *L'avènement de la philosophie scientifique* de Reichenbach et surtout un ouvrage peu connu, *Basic Issues of Philosophy*, de Marvin Farber, m'ont marqué durablement, m'introduisant à tout un univers intellectuel dont personne ne m'avait parlé.

Je m'arrête parce qu'il faut bien s'arrêter, sinon je mentionnerais Diderot, Revel, Brecht, Voltaire, Épicure, Feuerbach, Althusser et Lacan (eh oui, j'étais jeune), Jules Vuillemin (pour *Le miroir de Venise*) et Gilles Gaston Granger, Umberto Eco, bref, ma liste finirait vite par être indigeste et dénuée d'intérêt.

Soyons francs : il n'y a pas véritablement dans ma production un «parcours» dont je pourrais prétendre expliquer la logique interne et qui m'aurait conduit de la critique d'art à la réflexion sur les sciences. Ma carrière, en ce sens, n'en est pas une. Je me suis, en bonne partie, laissé guider par les circonstances, les rencontres, les occasions, ainsi que par mon goût pour la diversité et le changement. Je regardais avec effroi certains universitaires qui se consacraient, toute leur vie durant, à un seul domaine, une seule époque, un seul auteur, une seule question. La vie de l'esprit est plus riche que cela, me semble-t-il.

Quoi qu'il en soit, s'il y a une cohérence dans ma démarche — je n'en sais rien, en vérité j'en douterais — elle ne pourrait qu'être située au-delà des objets particuliers dont j'ai pu parler. En pratique, mes écrits ont relevé, dans un premier temps, du journalisme. J'ai fait des recensions de livres, et cela m'a permis de parler de beaucoup de choses, de société, de littérature, d'idées, de politique, d'actualité, que sais-je encore… Au tout début, dans un journal étudiant, j'avais publié aussi, à l'occasion, des articles portant sur des films (ce que j'ai fait encore dans les pages de *Spirale*) ou des pièces de théâtre. Comment en suis-je venu à la critique d'art? Je ne me souviens vraiment pas des détails, ce qui, au point où nous en sommes, ne devrait plus surprendre personne, mais le principe de la chose me paraît peu douteux: on a dû relever lors d'une réunion des collaborateurs de *Hobo-Québec*, périodique où m'avait entraîné Patrick Straram, qu'il faudrait trouver quelqu'un pour couvrir les expositions et moi, à la fois inconscient, disponible et curieux de tout, comme d'habitude, j'ai dû lever la main et me proposer… Le reste s'en est ensuivi.

C'est dans *Hobo-Québec* que j'ai commencé les quelques années de critique d'art qui ont finalement donné lieu à ce premier livre qu'est *Pamphlet sur la situation des arts au Québec*. Ce fut une période passionnante. Je m'étais donné une règle d'éthique assez curieuse, qui consistait à ne fréquenter à peu près personne dans le milieu des arts plastiques, à ne jamais mettre les pieds dans aucun vernissage, à ne pas saluer les artistes. Je voulais rester quasiment clandestin, pour (autant que possible) conserver entière ma liberté de jugement. Alors je m'étais spécialisé dans les lendemains de vernissage. Si la galerie ouvrait à midi le lendemain du vernissage, j'étais là à midi cinq. Souvent, je devais attendre. La veille, toutes les personnes concernées de près avaient fêté et elles n'étaient pas encore debout, à l'exception d'un employé mal réveillé. Alors je pouvais visiter l'exposition, la plupart du temps absolument seul, sans être dérangé ni avoir à discuter poliment avec qui que ce soit. Je prenais tout mon temps, j'accumulais des notes et puis je m'en allais écrire mon article.

À l'époque, je me réclamais du marxisme mais d'une curieuse manière, c'est-à-dire à certains égards assez dogmatique et à d'autres plutôt incertaine. Le mélange des deux m'apparaît parfois cocasse, avec le recul du temps. Dans un passage, je peux me plaindre que telle analyse ne soit pas assez conforme au «marxisme-léninisme», et puis ailleurs parler sans la moindre gêne d'une «improbable révolution totale» et d'un «hypothétique "art prolétarien"». Je cite avec approbation des gens qui n'étaient absolument pas marxistes, comme Mikel Dufrenne, Jean Dubuffet ou Jean Baudrillard. Il y a manifestement une fièvre juvénile dans tout ça, avec des excès impardonnables (que je ne vais pas tenter de justifier ou de défendre aujourd'hui) et aussi avec les quelques audaces heureuses que ça implique. Mais je regrette que les textes où j'ai défendu certains artistes, comme Miljenko Horvath ou Pierre Archambault, ne figurent pas dans le *Pamphlet*.

Cela dit, je peux certainement essayer d'expliquer comment se concilieraient à présent dans mon esprit l'intérêt pour les arts et celui pour les sciences. Ces dernières ont, à mon avis, une importance capitale pour tout ce qui concerne la formulation d'une philosophie première, d'une ontologie, d'une conception du monde ou d'une *weltanschauung*. Conjointement avec l'expérience courante, le savoir scientifique est, ou devrait être, l'assise et la base de toute spéculation d'ordre général prétendant dire le vrai à propos du réel. Rien n'échappe en principe à l'approche ou à la méthode scientifique, pas même la culture ni l'esprit. Par ailleurs, cela n'empêche absolument pas que l'art en train de se faire ne relève avant tout de l'engagement, et de l'action prospective. Cette dualité est essentielle pour moi : nous sommes d'un côté des théoriciens préoccupés par l'objectivité et la vérité, de l'autre des vivants embarqués dans une aventure créatrice. Je voudrais tenir les deux bouts, les marier et les conjoindre, ou du moins pouvoir passer de l'un à l'autre. Il me paraît clair que le *Pamphlet* relève de la seconde préoccupation. Ce qui ne m'a pas empêché, à peu près à la même époque, de plaider pour une «science de la littérature».

Je ne crois pas avoir relu mes textes d'avant 1975 ou 1980. C'est d'une part parce que, d'une façon générale, je ne me suis guère relu, et d'autre part parce que tout ce que j'ai commis avant a très vite disparu de chez moi sans laisser de trace. Par contre, à partir du moment où il s'est agi de livres, j'en ai gardé presque toujours un exemplaire et j'ai relu parfois quelques textes, même si ce fut exceptionnel.

L'analyse du *Pamphlet* cherchait à faire ressortir les embûches et les difficultés entourant le projet d'un art «progressiste», quoi que cela veuille dire exactement. Le relire à présent a suscité en moi une sorte de pitié attendrie : «Que j'ai donc été jeune et naïf»… (En fait, je devrais parler plutôt au présent : quel pauvre petit bonhomme je fais, pas plus haut que trois pommes, emporté par quelque hubris théorique mais englué dans ses limites, ses contradictions et ses naïvetés.)

Car c'est exactement comme ça que je me suis senti. Certes, j'ai le sentiment qu'il y a des pages assez fortes et claires, qui tentent avec un certain succès d'éclairer une situation et d'en débusquer les pièges. Mais il y en a d'autres tellement maladroites, tellement gauches… Et puis il y a des textes, le dernier en particulier, qui sentent le dogmatisme à plein nez et sont un reflet désolant de tout ce que cette époque a eu de pire. Pas de quoi être fier.

Cela dit, j'ai continué à m'intéresser sporadiquement aux activités artistiques, mais c'est vrai que je suis passé à autre chose et que je n'ai plus guère écrit sur cette question. Mon impression, c'est qu'en atténuant certains passages où je jargonnais exagérément, l'essentiel de l'analyse serait encore pertinent aujourd'hui, malheureusement.

En passant, je me suis vraiment reconnu dans la technique du collage des citations que j'avais choisi d'utiliser. Ce faisant, je ne voulais absolument pas m'abriter derrière l'autorité des maîtres — d'ailleurs il y en a que je citais dans un chapitre et puis que je critiquais un peu plus loin, comme Mikel Dufrenne ou Pierre Vallières. Non, au contraire, dans mon esprit c'était une manière de dialoguer, d'informer, de reconnaître aussi que je ne prétendais pas à une bien grande originalité. Franchement, c'est une formule que j'aime, probablement parce que je n'en vois pas les défauts.

Je peux me tromper sur les dates, mais il me semble que j'ai certainement continué à écrire sur l'art après le *Pamphlet*. D'abord il y a sans doute eu encore quelques articles dans *Chroniques*, et puis ensuite dans *Spirale* j'ai eu l'occasion de parler plusieurs fois de films, par exemple. En fait, je n'ai pas le sentiment d'avoir jamais cessé de m'intéresser aux arts, même si finalement il est vrai que j'ai moins écrit sur ce sujet après les années 1980. La littérature et le cinéma ont joué dans ma formation un rôle absolument central: c'est dans les films et dans les romans qu'adolescent et jeune adulte j'ai appris à vivre, comme ce fut le cas pour beaucoup de gens dans ma génération. Plus tard, je suis devenu avec les années un amateur de musique. Mais enfin, je n'ai pas des goûts très originaux. Je suis un admirateur de Schoenberg et de Bartók, de Stravinsky et de Varèse, de Berio et de Lutoslawski, de Cage et de Stockhausen. En peinture non plus, je ne prétendrais à aucune originalité : Cézanne et Picasso, Kandinsky et Duchamp, Dix et Heartfield, Morandi et Pollock, Beuys et Haacke, bref des grands noms déjà universellement reconnus. J'ai un faible pour l'art américain, je m'intéresse à des musiciens comme Elliott Carter ou George Crumb, à des peintres comme Cy Twombly ou Robert Motherwell.

Par ailleurs, je suis assez préoccupé par une espèce de tentative de définition de l'art en général. Qu'est-ce donc qu'on est porté à appeler de l'art, à reconnaître comme étant du domaine de l'artistique ? Je pourrais donner quatre éléments qui me paraissent importants.

1. Toute activité artistique doit être une activité humaine. L'art, c'est d'abord le résultat d'une conduite productrice, instauratrice ou créatrice de la part d'êtres humains, se rattachant à des préoccupations, émotions, expériences, aspirations, inquiétudes, etc., proprement humaines : l'art évoque des expériences humaines, propose ou communique directement ou indirectement, au moyen d'actions humaines (ou de leur résultat), quelque chose qui a à voir avec notre humanité, nos désirs, intentions, pensées, croyances, soucis, idéaux ou angoisses spécifiquement humains.

2. C'est ensuite quelque chose qui se présente à nous comme sortant de l'ordinaire, spécial, étrange, troublant, mystérieux, subjuguant, beau, révélateur, extraordinaire, énigmatique, sublime, riche, ludique, génial, en tout cas échappant par certains aspects à la réalité courante qu'elle soit sociale, naturelle ou brute (donc : à tout ce qui n'est qu'utilitaire, quotidien, banal, routinier, institutionnel, pratique, habituel, etc.) et ce, grâce à la fois à des carac-

téristiques intrinsèques (accomplissement, perfection, puissance, richesse de sens, harmonie, achèvement, élévation, intensité, mystère, beauté, humour, fulgurance, originalité, profondeur, expressivité, pouvoir d'évocation, d'interpellation, de suggestion, de questionnement, d'émotion, de dérision, de provocation ou d'intuition) ou extrinsèques (situation, contexte, conjoncture, etc.).

3. En outre, l'œuvre d'art ou les activités artistiques se donnent comme échappant à toute réduction, traduction ou explication par des discours prosaïques, explicites, démonstratifs ou rationnels. Elles sont faites de signes, de formes, de gestes, de symboles, d'objets, d'expressions, de figures, d'événements, d'actions, de représentations, d'interventions, etc., qui semblent posséder une composante intrinsèque d'«épaisseur symbolique» et de «concrétude signifiante» irréductibles (au moins partiellement) à tout langage simplement quotidien, explicatif, dénotatif, analytique. L'art suggère, évoque, représente, traduit, montre, suscite, manifeste ou exprime ce que la parole usuelle ou savante ne nous paraît pas à même de dire, dominer, formuler, maîtriser ni percer à jour — en tout cas pas complètement, ni au même degré, ni surtout sans déperdition de matérialité ou particularité existentielle.

4. L'art tend à sonder ou inventer les possibles et l'avenir, il crée des modèles ou des modélisations de l'existence, il explore, imagine, expérimente et suscite des formes de vie. C'est là que je ferais intervenir l'aspect dialectique: l'art, en ce qu'il a de prospectif, joue essentiellement des tensions inhérentes à toute destinée humaine — sans parler de celle entre concret et abstrait, particulier et universel —, tensions dont fondamentalement se nourrissent les œuvres d'art…

Selon moi, les œuvres d'art ont ceci de particulier qu'elles nous font penser au monde réel et à l'existence humaine réelle, tout en attirant notre attention sur leurs propres particularités matérielles et sur leurs spécificités «formelles», lesquelles sont toujours affectées d'un certain coefficient d'étrangeté et porteuses d'une quelconque dimension de défamiliarisation ou de transfiguration, ce qui en fait des sources irremplaçables à la fois de mise en problème et d'espérance. Il me paraît bien évident qu'on a avec une production artistique — un film d'Eisenstein ou de Wenders, un roman de Virginia Woolf ou de Thomas Bernhard, un tableau de Borduas ou de Betty Goodwin, un morceau de Stravinsky ou de John Cage — une interaction forte, vivante, dialogique, ce qui n'est certainement pas le cas au même degré avec un manuel scientifique, pour aller complètement à l'opposé. L'œuvre d'art forte ou réussie est toujours, en quelque façon, symptomatique des tensions irrésolues dont la vie humaine est tissée, que ce soit sur le plan social ou individuel, et elle nous fournit une opportunité privilégiée d'entrevoir des dépassements éventuels, des espaces utopiques, des rapports inédits, des éléments de réponses à nos angoisses, un sens possible à nos vies chaotiques, une perspective de résolution dialectique des ambiguïtés et des conflits, un espoir de réconciliation, certes dynamique et instable, des désirs et des impulsions contradictoires qui nous hantent. Bref, je dirais que les pratiques artistiques constituent une entreprise infinie d'approfondissement et de synthèse de la multiplicité des expériences humaines. Ai-je besoin d'ajouter après ça que c'est un domaine extrêmement important pour moi? Et que je commence à regretter de n'avoir pas davantage écrit là-dessus.

Le problème du critique, ce n'est pas de disposer d'une liste suffisamment détaillée, équilibrée et complète de qualités devant être recherchées dans les œuvres, mais c'est plutôt d'appliquer avec succès une telle grille, d'ailleurs extraordinairement complexe. Ce qui signifie : parmi tous les romans, tous les films, tous les tableaux — mais attention : récents ou nouveaux, puisque le critique travaille avant tout sur le présent, sinon il devient un historien ou un théoricien de l'art — donc parmi toutes les productions que je vois, que j'observe, que j'analyse, lesquelles offrent le maximum, ou l'optimum, de ces caractéristiques, apparemment impondérables, subjectives et presque magiques, qui font l'œuvre d'art exceptionnelle, celle qui restera, qui marquera le futur de la culture humaine ? Le critique, c'est celui qui s'est exercé à surmonter les biais, les préjugés, les modes, les conditionnements, etc., afin de percer à jour la nature véritable des œuvres et d'en mesurer la valeur. En fait, il est bien certain que dans l'ensemble et sur le long terme, seuls le temps et l'accumulation progressive de nombreux jugements permettent de se rapprocher d'une sorte assez particulière d'objectivité, se confondant presque avec ce que les phénoménologues appelaient l'«intersubjectivité», et qui consiste à reconnaître, apprécier, comprendre et expliquer l'exemplarité artistique. Même si l'on sort du présent immédiat, la question de l'évaluation demeure, bien entendu, mais elle devient de plus en plus facile à résoudre. Les pièces de Shakespeare sont-elles véritablement, durablement, réellement, humainement, et donc en un certain sens «objectivement», plus grandes et plus belles que celles de Corneille ? Les toiles de Kandinsky que celles de Bouguereau ? Les romans de Virginia Woolf que ceux d'Anatole France ? La musique de Stockhausen que celle de Darius Milhaud ? Etc. C'est ce que je crois. La bonne critique, c'est celle qui la première, ou le mieux, et de préférence les deux à la fois, repère et rend compte de ce genre assez étrange, très particulier, de supériorité. C'est une petite aventure relativement excitante, mais évidemment pleine de pièges et de déconvenues…

Si je me suis exprimé comme pourrait le faire le représentant d'une forme d'«essentialisme romantique», c'est tout à fait paradoxal. Car je m'imagine au contraire être réaliste, objectiviste et matérialiste. Mais j'essaie de m'expliquer. À mes yeux, il paraît vraisemblable, dans l'état actuel de nos savoirs, qu'il y ait objectivement et réellement un certain nombre de cadres ou de données plus ou moins fixes et universels, à la fois dans le monde matériel, dans les formations sociales, dans la psycho-biologie d'*Homo sapiens* et, finalement, dans ses besoins esthétiques entendus au sens le plus large. Mais faisons bien attention ici: même si cela était avéré, ce ne serait absolument pas une affaire d'«essences» platoniciennes! Pour moi, les descriptions de telles réalités et les définitions correspondantes sont au contraire, ou en tout cas doivent être le plus possible, profondément ancrées dans l'observation empirique, dans l'expérience et dans la pratique. C'est ainsi que ma tentative d'une «définition» de l'art n'a rien d'idéaliste dans mon esprit: elle relève de l'approximation théorique d'un ensemble de faits humains, historiques et sociaux, parfaitement empiriques et objectifs. Elle est peut-être valide, peut-être pas, mais ce n'est certainement pas une question de saisie (ou non) d'une quelconque essence idéale.

Cela précisé, revenons-en à la critique. À mon avis, le critique n'est certainement pas celui qui chercherait l'essence même de l'art, par-delà son époque, les idéologies ambiantes, les écoles ou ses propres convictions. C'est celui qui devrait chercher à distinguer, dans le fouillis de la production qui l'entoure et au milieu des idéologies ambiantes, des écoles et de ses propres convictions, les œuvres qui sont réellement et objectivement les plus fortes, les plus valables, les plus riches, les plus réussies, les plus susceptibles de s'imposer et de durer, les plus grandes et les plus belles, etc. C'est là, bien sûr, une approche normative de ma part: un bon critique, ce devrait être ça. Mais bien entendu les choses ne sont pas si simples. Souvent il fait tout autre chose. Par exemple, il essaie d'imposer, avec les arguments qu'il a à portée de la main (les uns techniques, les autres doctrinaux, les autres encore émotifs, etc.), son opinion sur une œuvre. Et effectivement, l'histoire nous apprend que l'ensemble des opinions, avec le temps, finissent par influer sur la perception de la valeur de l'œuvre, et que chaque ensemble d'opinions peut être renversé par un autre ensemble d'opinions, au préalable dominées ou nouvelles. Sauf que j'ajouterais, et à mes yeux ça change tout: jusqu'à un certain point et pour un certain temps seulement. C'est que je suis un adversaire résolu du subjectivisme et du relativisme, fussent-ils sociaux.

Alors bien sûr, on se demandera comment un admirateur avoué de Bourdieu peut se montrer aussi peu sociologue en apparence. Mais ce serait un malentendu. Pour bien me faire comprendre, je prendrai l'analogie avec la sociologie des sciences. La soi-disant «nouvelle sociologie» relativiste des sciences essaie de nous faire croire qu'il n'y a rien de plus dans la vie scientifique que des controverses traduisant des rapports de forces sociaux. Mais c'est une absurdité. Certes, il y a bel et bien des controverses de ce type, mais d'une part il n'y a pas que cela, d'autre part, et surtout, les facteurs déterminants en dernière instance ne sont pas de cet ordre-là: à moyen et long terme, c'est l'observation et l'expérience qui tranchent. Dire cela n'a rien d'essentialiste. C'est au contraire de l'empirisme, du réalisme, de l'objectivisme.

Ma position en matière de critique d'art est, *mutatis mutandis*, comparable. Qu'il y ait un goût populaire et un goût bourgeois, je n'en disconviens absolument pas. Que les jugements esthétiques soient des armes de distinction dans la lutte sociale, je le crois également. Mais ce n'est qu'une partie de la réalité. Et c'est pourquoi je reste convaincu, sans rien renier ni des déterminismes sociaux ni de mon matérialisme historique, que les productions artistiques sont dotées d'une forme particulière d'objectivité. C'est aussi pourquoi je crois à la possibilité d'une esthétique expérimentale et scientifique. La seule relativité, si l'on tient à ce terme, que j'admettrais, c'est celle qui consisterait à reconnaître que la qualité esthétique ou artistique soit probablement de nature anthropologique : ce qui est objectivement et durablement sublime pour les êtres humains ne le serait pas pour un extraterrestre ou pour une souris.

Je n'ai aucun don pour l'histoire, les explications historiques, les interprétations du passé, etc. Mais dans le cas qui nous occupe, je croirais que l'effervescence intellectuelle dont j'ai parlé était avant tout celle de la jeunesse et de l'activité commune. J'imagine sans peine qu'aujourd'hui encore, ou aussi bien il y a quinze ans, des équipes de bons copains ont fondé vers vingt-cinq ou trente ans des revues éphémères et ont vécu à leur tour la même fièvre de la découverte, de l'écriture, des débats et de l'apprentissage. Naturellement, je serais prêt à admettre que le contexte social, politique et culturel était, vers 1965-1975, très favorable et stimulant. Quant à savoir si l'échec référendaire a véritablement marqué un point tournant, c'est une autre affaire, que je me déclare incompétent à trancher. Quant à moi, ça ne m'a pas empêché de continuer à «effervescer», en tout cas.

Pour tout dire, je crois que j'ai eu beaucoup de chance dans ma vie, une chance tout à fait exceptionnelle. Mon impression est que je me suis trouvé en quelque sorte emporté vers le haut, ou tiré vers l'avant, si j'ose m'exprimer ainsi, par des circonstances, des occasions, des rencontres, des hasards, des situations, un contexte qui, dans l'ensemble, ont tous été remarquablement positifs. En même temps, et sans vouloir m'attribuer aucun mérite ni responsabilité, bien au contraire, je dirais qu'en plus de toutes ces chances, j'avais la chance additionnelle et suprême, qui non seulement ne dépend guère d'aucun facteur extérieur mais sans laquelle tous les facteurs extérieurs qu'on voudra ne vaudraient finalement pas grand-chose: celle d'avoir en moi je ne sais quel germe immanent d'effervescence, pour garder cette image, je ne sais quelle pulsion d'activité et d'enthousiasme. Je n'y suis absolument pour rien, c'est entièrement involontaire et je n'ai aucune fierté à en retirer: tout se passe comme si j'avais été sans arrêt porté, malgré moi en un sens, par une curiosité insatiable, par une passion des mots, des idées et des livres, par une tendance irrépressible à former des projets et à m'investir dans des entreprises intellectuelles. En fait, je prétends le plus sérieusement du monde que je suis un type paresseux et superficiel, mais il faut croire que ces défauts ont été compensés dans une certaine mesure par ce démon du savoir et de l'expression qui m'habitait. Voilà pourquoi, quand je suis contraint, comme c'est le cas ici, de repenser au cours de mon existence (chose que je ne fais pratiquement jamais de manière spontanée), je suis submergé par un sentiment irrépressible de gratitude envers la vie et sa grande loterie, à la fois terrible et magnifique, où j'ai le sentiment d'avoir gagné une récompense merveilleuse sans l'avoir méritée.

C'est un des nombreux points sur lequel je crois, soit dit en passant, que Sartre était dans l'erreur la plus complète. La personne humaine n'est pas qu'un pur sujet doté d'un absolu libre arbitre et confronté à une situation objective. Chacun de nous est le produit d'une constellation complexe de facteurs biologiques et d'influences précoces du milieu. Il en résulte une personnalité, et je peux avouer que je suis passionné par un domaine scientifique naissant mais très riche et actif qu'on appelle la psychologie de la personnalité. Je ne crois pas qu'il y aurait beaucoup de sens à se croire le libre auteur de notre personnalité, et en nier l'existence me paraît absurde. À mes yeux, ce n'est pas tant moi qui ai façonné ma personnalité que cette dernière qui, mariée au jeu des circonstances, a façonné mon existence.

Qu'après l'échec du référendum de 1980 le contexte soit réellement devenu plus morose et plus difficile, les opportunités plus rares, c'est bien possible, mais il me semble que j'étais déjà propulsé définitivement sur une lancée qui n'allait pas faiblir de sitôt. Il aurait fallu de vraies catastrophes (personnelles ou collectives) pour arrêter cet élan, et il se trouve que par bonheur, dans mon cas, elles ne se sont pas produites.

Il en serait de même dans le cas des cégeps et des renversements de conjoncture qui ont pu les affecter après 1980: cela m'inspire le même type de réflexion. Il ne fait aucun doute dans ma tête qu'être prof de philo dans un collège de Montréal a représenté pour moi une chance inouïe. Je ne peux pas m'imaginer un milieu plus propice. J'y suis redevable de tant de choses que je n'en reviens pas. Le contact sans cesse renouvelé avec des jeunes m'a été une source constante de stimulation. J'ai eu un groupe de collègues et amis qui m'a discrètement mais efficacement aidé, toléré, soutenu, nourri et encouragé. L'institution m'a accordé une liberté sans bornes. La vie syndicale m'a enrichi d'expériences qui m'ont été très utiles et m'ont éclairé à plus d'un égard. Et ainsi de suite. Quand sont arrivées les années de repli et de vaches maigres, ma combativité était intacte et mon élan était pris, comme je l'ai suggéré il y a un instant.

D'une part, j'ai effectivement eu toutes ces chances et je ne peux pas, honnêtement, dire le contraire. D'autre part, je ne m'en vante pas, je soutiens plutôt que ça ne dépendait guère de moi. J'en ressens simplement une sorte de révérence craintive et de reconnaissance émue. J'oserai dire que cette gratitude envers la vie est sans doute, chez le mécréant résolu que je suis, ce qui s'apparenterait le plus à une sorte de sentiment presque religieux.

Je répète que la tournure d'esprit historique, le penchant historien, m'est tout à fait étranger. Je vis entièrement dans le présent, un présent orienté vers le futur immédiat, celui de projets personnels ou collectifs. Non seulement ai-je une mémoire individuelle absolument infirme (comment puis-je tout ignorer de mes débuts au *Devoir* ou de mes premières rencontres avec Patrick Straram?), mais j'ai toujours été faible en histoire et peu motivé par l'étude du passé.

Cela dit, tempérament ne vaut pas dogme. Je suis parfaitement capable, intellectuellement, de concéder que la connaissance historique est extrêmement précieuse. Je suis prêt à admettre qu'ignorer le passé c'est, le plus souvent, se condamner à en répéter les erreurs. Je reconnais qu'il n'y a pas de culture générale sans une connaissance des grandes étapes de l'évolution humaine, celle des sociétés et des civilisations en particulier. Aucune discussion là-dessus. Mais il est vrai aussi que, pour moi, ce qui est vivant dans le passé, ce qui mérite attention et intérêt, c'est ce qui demeure agissant dans notre présent.

Maintenant, l'histoire de la philosophie, qui est inséparable selon moi de toute la question de la formation philosophique, représente dans mon esprit un cas à part, spécialement étrange et problématique. En effet, je suis convaincu que la discipline «philosophie» est malade d'un excès morbide d'«histoire» — mais il faut mettre ce terme entre guillemets car c'est une histoire qui, la plupart du temps, n'en est pas une. Le philosophe, c'est d'abord celui ou celle qui connaît suffisamment toute la galerie des grands auteurs et qui, face à toute question philosophique, peut parcourir et récapituler le tableau chronologique des œuvres où ils ont traité de ce problème ainsi que leurs thèses et opinions sur le sujet et les débats d'interprétation qui en ont résulté. Bien entendu, la chose est relativement difficile à mesurer de manière un peu précise, mais il ne me paraît guère douteux que la quasi-totalité des productions demandées aux étudiants en philosophie relèvent du résumé, du commentaire et de l'interprétation des textes des auteurs du passé ou de leurs commentateurs reconnus.

Non seulement cela se vérifie-t-il des étudiants, mais c'est largement vrai également de leurs maîtres : en philosophie, les universitaires produisent essentiellement des résumés, des commentaires et des interprétations des textes du passé (ainsi que des commentaires y afférents), et ce, qu'ils travaillent sur un auteur, sur une période ou bien sur une question ou un domaine. S'agit-il vraiment d'«histoire» au sens habituel de ce terme ? On pourrait en discuter longuement. Le contexte historique, qu'il soit social, politique, religieux, culturel, économique, militaire ou autre, est le plus souvent ignoré. Mais là n'est pas l'important.

L'important, c'est la faiblesse consécutive qui en résulte en matière de problématique, de théorie et d'argumentation. On analyse, au moyen de commentaires textuels détaillés, l'argumentation d'un auteur en la confrontant, d'une part, aux objections et critiques de deux ou trois autres auteurs classiques, et d'autre part, aux interprétations divergentes et complexes qu'en ont proposées divers commentateurs récents ou contemporains, jusqu'à ce qu'il apparaisse évident que, plus on «avance» et plus le tout devient, malheureusement, inextricablement problématique et incompréhensible — du moins tant qu'on n'aura pas étudié à leur tour les opinions et les réfutations d'un cinquième grand auteur, de préférence intrinsèquement difficile et obscur, ce qu'on se propose naturellement de mener à bien dans un prochain travail, etc. C'est un peu moins vrai dans la tradition anglo-américaine, mais là aussi le problème existe.

Les effets pervers sont catastrophiques. Premièrement, on conforte une sorte de postulat implicite d'inintelligibilité : si après des siècles on ne comprend toujours pas très bien ce qu'ont voulu dire exactement et pour l'essentiel Platon et Aristote, Descartes et Kant, Hegel et Nietzsche, la conclusion inévitable — même si personne ne la formule, cela va de soi — c'est que les textes philosophiques et, partant, la pensée philosophique elle-même, sont par essence impénétrables. Il en résulte une valorisation indirecte de l'obscurité, et un effet en retour sur l'histoire de la philosophie. Valorisation de l'obscurité : on croirait que si un écrit à prétention philosophique n'est pas extraordinairement difficile à comprendre et à interpréter, il ne saurait être vrai, important ni profond. Effet en retour sur l'histoire de la philosophie : si un interprète veut «réussir», il doit autant que possible parvenir à rendre obscures les pensées même les plus claires de l'auteur dont il traite ; il y parvient en général en le «relisant» à la «lumière» d'un auteur nettement plus obscur (produisez une «lecture» heideggerienne d'Aristote et votre carrière est assurée).

Deuxièmement, on apprend davantage à commenter et gloser plutôt qu'à raisonner ou argumenter. Or, commenter et gloser sont des activités affectées par une tendance immanente à la circonvolution indéfinie.

On meurt avant d'en arriver à l'étude des raisons de l'athéisme, parce qu'il a fallu d'abord étudier les raisons de l'athéisme chez Nietzsche (ou chez Marx, ou chez X ou Y) — attention, il faut examiner non seulement les écrits de Nietzsche mais aussi le Nietzsche de Kaufmann et le Nietzsche de Deleuze et le Nietzsche de Granier et le Nietzsche de Klossowski et le Nietzsche de Bataille et le Nietzsche de Heidegger, la liste étant ouverte, entreprise à quoi une vie ne suffit pas. Remplacez «athéisme» par n'importe quelle question philosophique, Nietzsche ou Marx par n'importe quels grands auteurs adéquats au domaine retenu, avec bien sûr leurs nombreux commentateurs idoines, et vous allez voir proliférer une végétation tropicale, luxuriante, envahissante et profondément stérile, mais vouée à une disparition rapide et à un renouvellement incessant. C'est ainsi que la philosophie tourne à l'absurde, mais pas au sens où Albert Camus l'aurait cru...

Conclusion: je soupçonne que mon peu de goût pour l'histoire et ma polémique contre la domination de la discipline philosophie par une approche «historique» n'ont que peu à voir l'un avec l'autre. D'ailleurs, une chose frappante et révélatrice, c'est que la branche (passionnante, je le confesse) de l'histoire qu'on appelle «histoire des idées» n'a pratiquement aucun écho parmi les philosophes. En effet, l'histoire des idées est une discipline véritablement historienne, qui tient compte des dimensions sociale, économique, etc. Tandis que l'«histoire de la philosophie» n'est en fait qu'une galerie de grands penseurs, certes chronologiquement organisée, mais à peu près dénuée de toute historicité profonde.

Après 1975, j'ai vécu ce que je n'oserais pas appeler mes années Papineau. Car il n'y a aucune comparaison possible dans ma tête entre ce que j'ai appelé, sans hésiter, «mes années Straram», et la période où Jean Papineau a été mon ami. Dans le premier cas, il s'agissait, si je peux dire, de ma vie publique. Au sens propre, je n'ai jamais été un véritable ami de Straram. Dans le second cas, cela relève davantage de ma vie privée. Mais en écrivant, un an seulement après la mort de Jean Papineau, mes *Dialogues en ruine*, j'ai moi-même le premier trahi l'intimité de notre amitié et je serais donc malvenu de l'invoquer pour ne pas parler de lui. Au moins une personne, qui avait été très proche de Jean, m'a fait d'ailleurs ce reproche exactement: d'avoir écrit un livre indécent, c'est-à-dire rendu public ce qui aurait dû demeurer privé. De plus, je conçois que mes relations avec Jean Papineau ont, elles aussi, concerné dans une certaine mesure cette vie publique à laquelle je viens de faire allusion. Il m'a fait découvrir des auteurs dont j'ai parlé dans mes livres, il a relu mes manuscrits et je l'en ai remercié dans telle ou telle préface, il m'a demandé une traduction d'un texte d'Adorno pour la revue *Parachute*, etc. Je devrais donc pouvoir en parler librement. Mais j'en suis incapable. D'une part, je ne me souviens de rien de ce à quoi on s'attendrait normalement. Je ne sais plus comment je l'ai connu. Je ne suis même pas capable de dire s'il a été ou non mon élève au cégep. Je crois que oui, puisque quelques années après, il m'arrivait de le croiser au centre-ville avec sa femme Christiane Charrette et que je leur parlais comme on parle à deux anciens élèves... Mais c'est tellement imprécis. Ensuite, les rares souvenirs que je réussis à évoquer sont sans intérêt. Je le revois vendeur au rayon classique de la boutique de disques L'Alternatif, si je ne me trompe, rue Saint-Denis près de la ruelle Émery. Je peux également retrouver quelques images des premières réunions du département de philosophie du collège Ahuntsic auxquelles il ait participé, et c'est pour remarquer qu'il n'ouvrait pas la bouche. Que faire avec de tels souvenirs? Et alors, de fil en aiguille, j'aboutis à l'évidence que tout ce que j'étais capable de dire de Jean Papineau, je l'ai mis dans *Dialogues en ruine*. Arrivé à ce point, je ne sais pas qu'ajouter. C'était mon ami. Il est mort beaucoup trop jeune. J'ai écrit un petit livre sur lui pour surmonter ma peine et mon deuil. Il m'aurait cassé la figure, probablement, s'il l'avait lu. Je m'ennuie encore de son rire, de ses reproches, de ses conseils. «Parce que c'était lui, parce que c'était moi», comme disait qui déjà? Montaigne à propos de La Boétie? Ah, ça, aucun doute là-dessus: Jean Papineau aimait beaucoup Montaigne…

Je ne vais pas passer en revue tous mes livres après 1980. Ils parlent par eux-mêmes, si j'ose dire — c'est du moins l'illusion qu'on me pardonnera d'avoir. Les vingt-cinq dernières années de ma vie sont sans histoire. Rien qui mérite d'être raconté, pas même par un vieux.

J'ai été nationaliste, je ne le suis plus. Pourquoi? La souveraineté est-elle dépassée? Avant d'essayer de répondre à une telle interrogation, il faudrait s'entendre sur sa signification. En effet, si nous étions dans un congrès international de philosophie politique, mon opinion serait que non, la souveraineté des États n'est pas un concept dépassé. Sauf qu'ici, nous parlons évidemment de la vie politique québécoise actuelle, où ce même terme de «souveraineté» renvoie bien entendu à l'«option» du Parti québécois et du Bloc québécois. Sur ce terrain précis, ma réponse devient différente. Ce que je soutiens, c'est que toute la construction idéologique symbolisée et résumée par le mot «souveraineté» tel qu'il est employé dans notre champ politique contemporain au Québec, bref le slogan partisan de la «souveraineté», ou encore le discours des partis nationalistes sur la «souveraineté», tout cela est complètement dépassé, même si on fait semblant de ne pas s'en apercevoir.

Dans l'histoire de notre langage politique la «souveraineté», avec ses petits frères et sœurs jumeaux dont elle est inséparable (l'association, le partenariat, l'union confédérale, etc.), c'est avant tout un euphémisme déshonorant et démagogique pour ne pas prononcer trop fort les termes normaux d'indépendance, de séparation ou de sécession. On a à peine besoin de rappeler la raison, qui est simple. En gros, si on invite les citoyens du Québec à se prononcer en faveur de l'indépendance, on récolte aux alentours de 10% à 25%, selon la conjoncture, tandis que si on nous demande de nous prononcer en faveur de la «souveraineté» explicitement assortie d'une quelconque perspective de partenariat ou d'association, on obtient de 35% à 49% de réponses favorables. Devant ce fait, nos politiciens avaient deux possibilités. Soit garder le cap et faire la promotion inlassable de l'indépendance, quitte à attendre cinquante ou cent ans avant de gagner. Soit jouer la comédie indigne mais payante d'une forme d'autonomie tellement floue et mal définie qu'elle pourrait à la fois ressembler suffisamment à une séparation pour attirer les vrais indépendantistes convaincus, tout en suggérant suffisamment une renégociation du pacte canadien pour séduire la plupart des nationalistes mous. René Lévesque eut vite fait son choix. Il faut reconnaître que, dans un premier temps, cette propagande misérable a payé: d'abord la prise du pouvoir, ensuite deux référendums certes perdus mais avec une hausse constante des appuis populaires.

Seulement c'était oublier deux choses. Premièrement, vouloir l'indépendance c'est essentiellement vouloir se tenir debout. On n'atteint pas ce but en rampant. Si à brève échéance la démagogie «souverainiste» avait beaucoup d'avantages électoraux, son prix à plus long terme était terrible, puisqu'il s'agissait de rien de moins qu'un aveulissement collectif absolument contraire à l'idéal poursuivi. De manière sourde et inconsciente, chaque succès «souverainiste» minait ainsi de l'intérieur le ressort moral profond du projet indépendantiste, qui ne s'en remettra probablement pas. Deuxièmement, en politique, les gros mensonges ne tiennent jamais la route. Ils s'usent, ils se délitent, ils s'affaiblissent, ils se décomposent peu à peu: c'est inscrit dans leur nature de mensonge. Après trente ans et deux référendums, le gouvernement fédéral a fini par se réveiller et par adopter une loi sur la clarté. «C'est une loi scélérate digne des méchants fédéralistes», ont aussitôt hurlé en chœur nos «souverainistes» — mais ils n'ont vraiment pas crié très fort ni bien longtemps. C'est qu'ils se savaient désormais pris à leur propre piège. Leur «option» pitoyable n'était viable qu'à la condition qu'on oublie ou méconnaisse sa confusion congénitale et son ambiguïté constitutive. À partir du moment où un projecteur était braqué sur cette inguérissable équivoque, ils n'avaient plus d'issue.

Nous en sommes là, et il y a assez peu de chances que les «intellectuels pour la souveraineté» nous aident à nous en sortir. En fait, il existe toujours une issue, bien sûr. On pourrait tenter de rebâtir un discours de l'indépendance. Ce serait une entreprise difficile, car trente ans de fanfaronnades nationalistes, d'affirmation linguistique ou économique et d'exercice du pouvoir provincial ont radicalement modifié les données du problème. Le monde a changé, les séparatismes sont devenus trop souvent des terrorismes injustifiables, et on aurait du mal à échapper aux groupuscules psychotiques, racistes et revanchards à la Raymond Villeneuve. À l'inverse, on pourrait aussi avouer une fois pour toutes que, finalement, on ne réclame plus qu'un maximum d'autonomie, de compétences, d'argent et de reconnaissance au sein du Canada, un peu comme les nationalistes catalans en Espagne. Mais ce serait la fin d'un rêve et l'aveu d'un échec.

Les dirigeants du «mouvement souverainiste» font ce qu'ils peuvent pour éviter ces deux solutions. En ce moment, ils sont dans l'opposition et se cherchent de nouveaux leaders, alors, entre eux, ils se remettent à parler timidement du Pays, à jouer les vierges offensées face à l'association et au partenariat, ou encore ils inventent une nouvelle bébelle étapiste (par exemple la désopilante «souveraineté continue» de Pauline Marois). Ce sont des singeries qui n'amusent plus personne, sauf la rédaction du *Devoir*. Voilà le bilan.

Dans ce contexte, oui, j'avouerai que cela ne fait absolument aucun doute dans mon esprit: la «souveraineté» est irrémédiablement dépassée.

Au fond, tout nationalisme peut se juger sur deux critères. Le premier relève de la psyché collective: s'agit-il d'un mouvement actif, positif, créateur, qui fait grandir son peuple, favorise sa croissance et son accomplissement, le rend meilleur? Le second est d'ordre éthique: ce nationalisme est-il responsable d'un mal fait aux autres (minorités, peuples voisins, etc.)? Sur ce dernier point, il n'y a guère de problème au Québec, sauf peut être à propos des nations autochtones. Par contre, en ce qui concerne le premier, les choses sont carrément inquiétantes, car le verbalisme «souverainiste» est par nature névrotique, fantasmatique, maniaco-dépressif, illusoire et par-dessus tout honteux et ridicule — rien de trop bon pour une psyché collective, à mon humble avis. En toute franchise, si telle est la seule alternative, un simple autonomisme avoué mais dynamique comme celui des

Catalans m'apparaîtrait infiniment plus sain. C'est pourquoi j'ai suggéré récemment de voter pour le Nouveau Parti démocratique.

C'est aussi pourquoi il serait justifié, du moins si l'on tenait à adopter le jargon vicieux des «souverainistes», d'affirmer que je suis devenu «fédéraliste» — mais on ferait mieux de se méfier comme de la peste du jargon «souverainiste», que nos intellectuels et, pis, tous nos journalistes, ont repris mécaniquement comme s'il était neutre et innocent, ce qui ne cesse de me scandaliser! En l'occurrence, ceux qu'on a baptisés «fédéralistes» sont simplement les tenants du statu quo face à la question du maintien du Québec au sein du Canada (est-il besoin de souligner que nombre d'entre eux se fichent éperdument que le Canada en question soit «fédéral» ou pas).

En réalité, comble du paradoxe, dans cette histoire, les seuls fédéralistes au sens habituel de ce terme, c'est-à-dire ceux qui aiment positivement et pour elle-même l'idée et la formule de fédération, qui y tiennent et en veulent absolument davantage, ce sont nos soi-disant «souverainistes»!

Conclusion: moi qui parfois passe encore pour un «indépendantiste pur et dur» et qui ai un texte dans l'anthologie de Gaston Miron et Andrée Ferretti, eh bien je confesse que je suis devenu «fédéraliste». Si Pauline Julien était encore de ce monde et se rappelait, par extraordinaire, un blanc-bec rencontré une seule fois il y a trente ans, elle pourrait se dire qu'en fin de compte c'est elle qui avait raison (et Straram, tort).

Qu'on me permette une autre tentative d'expliquer à peu près la même chose.

a) Qu'il y ait une question nationale du Québec relève de l'évidence depuis au moins trente ans. Bien entendu, il s'agit d'une évidence *construite* par une longue histoire et résultant de divers arguments, opinions, sentiments et faits, parfois problématiques ou divergents mais qui, à un degré ou l'autre, concourent à accréditer la thèse que l'État fédéral canadien serait inacceptable pour la nation québécoise, laquelle n'aurait d'autre choix historique que d'accéder à une pleine et entière indépendance pour se montrer à la hauteur de sa vocation collective.

Bernard Landry (à la tête du Parti québécois au moment de la rédaction de ces lignes) est le dépositaire de cette évidence, qu'il ne cesse de répéter : le Québec est une nation ; or toutes les nations ont droit à un pays qui leur soit propre (et un grand nombre d'entre elles ont effectivement atteint ce statut depuis un siècle) ; donc le Québec devrait normalement être reconnu en tant que peuple et État, maîtriser tous les leviers de son destin et avoir sa place dans les instances internationales — ce que le cadre canadien rend impossible.

Sur cette base largement partagée, un certain *consensus nationaliste implicite* est désormais prédominant au Québec parmi les francophones. Mais, point crucial, l'aspect *critique négative* de ce consensus (le statu quo est intenable et tous les «fédéralistes» sont ennemis des intérêts véritables du Québec) fait plus facilement l'unanimité que l'aspect *constructif positif*, à savoir si la meilleure solution résiderait dans une rupture radicale (l'indépendance) ou dans un réaménagement plus ou moins profond du cadre canadien...

b) Presque chaque jour, dans nos médias francophones, il est question des *séparatistes* basques, des *indépendantistes* kurdes ou de la *sécession* de la Tchétchénie. Mais voilà que, par extraordinaire, ces concepts ne sont plus appliqués lorsqu'on traite de la question nationale du Québec, généralement baptisée «question constitutionnelle» et évoquée uniquement en termes de «souverainisme» et de «souveraineté», tandis que l'éventuelle existence de mouvements «souverainistes» et le fait d'être ou non «souverain(s)» ne sont pratiquement *jamais* associés à aucune autre réalité de l'actualité mondiale *sinon au Québec.*

Il en résulte une forme dévastatrice de schizophrénie collective, dont la plus frappante caractéristique est d'être systématiquement passée sous silence. Si un complot nationaliste existe, son objet n'est pas la séparation du Québec. Il viserait plutôt l'accréditation idéologique d'une forme invraisemblable de discours euphémisant et anomique, réservé au cas du Québec et investi, par convention tacite, d'une fausse naturalité, universellement admise et reproduite par tous les professionnels de l'information et du commentaire ainsi qu'une majorité de politiciens et de citoyens engagés, des deux côtés de l'échiquier. Mais qu'il le veuille ou non, quiconque emploie le mot «souveraineté» au lieu du terme normal d'«indépendance» se rend *ipso facto* complice de cette manœuvre ruineuse.

Avec une hypocrisie délicieusement satisfaite d'elle-même (comme s'il s'agissait simplement de jouer un bon tour aux méchants Anglais), le nationalisme péquiste transfigure ainsi la question nationale, qu'il refuse de percevoir comme comparable aux autres situations de type séparatiste au niveau international. Alors qu'ailleurs toute sécession suppose un potentiel de conflit, ici la libération nationale ne saurait être que nimbée de paix, de raison, de modération, de bonne entente, de partenariat, de joie et d'innocence. On pourrait avancer l'hypothèse que le caractère profondément *anormal* de la configuration idéologique qui en résulte représente le *point aveugle* constitutif de notre culture québécoise contemporaine.

c) La source de cette sous-culture de l'exception réside banalement dans une stratégie délibérée de la part du PQ, la *stratégie du mensonge*, à laquelle Ottawa a finalement répondu par sa *loi sur la clarté*. Dans son inconscient collectif, le PQ aime à se croire porteur de la volonté indépendantiste originelle, sauf qu'il ne pense pouvoir la mener à terme qu'en la diluant et en la rendant préalablement aussi ambiguë que possible. Ce mensonge a été la « vérité » de ce qu'on a appelé pudiquement l'étapisme et la modération du PQ. Il a plusieurs visages. C'est bien sûr la prétention à l'indépendance ou à la sécession du Québec mais *sans jamais se permettre de le dire clairement* et en laissant toujours entrouverte la porte menant à une éventuelle renégociation « égalitaire » du cadre constitutionnel canadien. C'est aussi le double langage affirmant la nécessité de la « souveraineté » et du « pays » tout en condamnant comme dangereusement extrémiste tout discours explicitement séparatiste. C'est encore l'affirmation de la nécessité de l'accession au statut de pays comme condition d'épanouissement du Québec, tout en prétendant que, malgré les échecs référendaires, le Québec ne s'est jamais aussi bien porté alors même qu'il n'est toujours qu'une province canadienne. Et ainsi de suite.

Prôner ouvertement l'indépendance et la sécession du Québec est vite devenu le propre d'une dangereuse minorité de rêveurs irresponsables, les « purs et durs ». Parallèlement, le *trait d'union* sauvegardant la perspective d'une forme quelconque de lien avec le Canada passait pour la clé de la victoire : souveraineté-association, souveraineté-partenariat. Cette stratégie, particulièrement honteuse pour un mouvement de libération prétendant lutter contre toute aliénation, a peut-être été payante électoralement, mais elle n'en a pas moins échoué à deux reprises à assurer le triomphe escompté.

Culturellement, les conséquences ont été graves : le Québec francophone est plongé depuis plus de vingt ans dans une rêverie à la fois malsaine et sotte, paradoxalement vécue comme un mirobolant triomphe d'affirmation collective. Plus l'idéologie nationaliste s'enfonçait dans une honte et un ridicule inexpiables, plus elle se vivait comme un phénoménal accomplissement. Cette fausse conscience, à la fois criante et muette, nous mine davantage qu'aucun fédéralisme centralisateur. Mais la vulgate nationaliste consiste à affirmer fièrement le contraire : jamais le Québec n'a été aussi fort et n'a eu autant de raisons de se sentir grand.

d) Le mensonge a un prix. Il n'y a plus de gauche au Québec, le PQ ayant phagocyté tout ce qui pouvait l'être. Même l'Union des forces progressistes se déclare bêtement « souverainiste » (un de ses récents slogans : « Souverainement à gauche ! »). Seul le mouvement Option citoyenne de Françoise David a poussé l'audace jusqu'à « s'interroger » sur la question nationale — enfin, durant quelques mois… Le Québec francophone flotte ainsi dans une bulle mythique, close sur elle-même à la fois en ce sens qu'elle nous protège contre la réalité du monde extérieur (mondialisation, autres luttes de libération nationale, remise en cause des souverainetés étatiques et montée des fédéralismes) et qu'elle reste inconcevable pour quiconque vit ailleurs sur la planète. Seule la France est réputée nous « comprendre », elle qui pourtant bannit radicalement toute velléité de séparatisme sur son propre territoire : la *loi sur la clarté* y serait proprement impensable puisque, en fixant ses conditions, elle admet le principe d'une éventuelle sécession. (Comment se fait-il que nous ne dialoguions pas davantage avec les souverainistes corses ou basques ? Réponse informulable — mais paradoxalement *exacte* — de notre folie locale : *il n'y a pas de souverainistes corses ou basques !*)

Cette bulle étrange et mortifère est faite de dénégation, d'autosatisfaction narcissique et d'accusation : dénégation de l'ambivalence collective, des euphémismes démagogiques, du mensonge de la «souveraineté-association-partenariat», des échecs référendaires; auto-satisfaction narcissique omniprésente dans les thèmes de la victoire prochaine, d'un «peuple de géants», d'une tradition démocratique tellement exemplaire et irré-prochable que nos minorités anglophones, autochtones ou allophones devraient remercier le Ciel; accusation perpétuelle du méchant *Rest of Canada* qui, du fait de son incurable «fédéralisme centralisateur», s'obstine à parler seulement anglais et à bafouer les «demandes tradi-tionnelles» du Québec.

e) Au début du printemps 2005, à la suite du «scan-dale des commandites» et aux audiences de la commission Gomery, un grand sondage révélait qu'une majorité de 54% des Québécois se déclaraient «pour la souveraineté».

Aussitôt, gros titres dans nos chers quotidiens.

Par ailleurs, la même enquête d'opinion nous apprenait également (chose en soi assez extraordinaire pour tout observateur non prévenu) que plus de la moitié (56%) de ces mêmes partisans du Oui *étaient favorables au maintien du Québec au sein du Canada*.

Aucune manchette — ni grand «débat d'idées» — à ce sujet, comme on l'imagine. («Fais ce que dois.»)

f) Conclusion désespérante, la question nationale du Québec n'est plus désormais qu'un *mauvais rêve*. Que nul ne s'en aperçoive ne constitue, malheureusement, qu'une circonstance aggravante.

Mon vingtième siècle

Matériaux pour un projet

Parmi les regrets que je pourrais avoir, il y a celui de ne pas avoir été en mesure d'écrire un livre que je projetais au sujet de l'art au vingtième siècle, dont il me faut d'ailleurs confesser que je ne sais trop moi-même à quoi il aurait pu ressembler. Ce que je sais, c'est que parmi les diverses activités préparatoires auxquelles je m'étais livré, il y avait une ambitieuse et absurde liste dont je me dis à présent qu'elle pourrait bien, qui sait, amuser certains, ou même être utile à quelqu'un. Ce n'était qu'une hypothèse de travail, qui aurait sans doute subi bien des remaniements. Je la reproduis telle quelle ci-dessous, sans autres explications que celle-ci : dans mon esprit, les œuvres plastiques et musicales représentaient des choix, renforcés par le système des astérisques, alors que les œuvres littéraires et autres titres de livres n'étaient que de simples points de repères.

Le XXe siècle occidental
en musique classique dite «contemporaine»
et en arts plastiques «modernes»

1900   Puccini, Tosca
        **Schoenberg, Die Verklarte Nacht
        *Bonnard, La Sieste
        **Cézanne, La Montagne Sainte-Victoire, vue de Bibémus
        **Monet, Les Nymphéas
        Conrad, Lord Jim
        Freud, L'interprétation des rêves
1901   Ravel, Jeux d'eau
        Gauguin, Et l'or de leurs corps…
        Klimt, Judith et Holopherne
        Weber, L'Éthique protestante et l'esprit du capitalisme

1902	Debussy, Pelléas et Mélisande
	Gauguin, Contes barbares
	Lénine, Que faire?
	Strindberg, Le Songe
1903	Ravel, Quatuor à cordes
	Schoenberg, Pelléas et Mélisande
	Camille Claudel, L'Âge mûr
1904	Janácek, Jenufa
	Mahler, Kindertotenlieder
	Puccini, Madama Butterfly
	*Cézanne, La Montagne Sainte-Victoire, vue des Lauves
	Picasso, Femme à la corneille
	Pirandello, Feu Mathias Pascal
	Tchekhov, La Cerisaie
1905	*Debussy, La Mer
	**Strauss, Salomé
	**Cézanne, La Sainte-Victoire
	Derain, Barques à Collioure
	Kubin, La Guerre
	*Matisse, La Femme au chapeau
	Einstein, Mémoires sur la relativité
	Freud, Trois Essais sur la théorie de la sexualité
1906	Ives, Central Park in the Dark
	Schoenberg, Symphonie de chambre n° 1, op. 9
	*Cézanne, Les Grandes Baigneuses
	Derain, Le Pont de Waterloo
	Rodin, Le Penseur
1907	Schoenberg, Friede auf Erden
	(pour chœur mixte a capella)
	le Douanier Rousseau, La Charmeuse de Serpents
	Klimt, Danaé
	**Picasso, Les Demoiselles d'Avignon
	Bergson, L'Évolution créatrice
	Gorki, La Mère
1908	*Bartók, Quatuor à cordes n° 1
	Ives, The Unanswered Question
	Mahler, Das Lied von der Erde
	*Ravel, Gaspard de la nuit

*Schoenberg, Quatuor à cordes n° 2, op. 10
Braque, Maisons à l'Estaque
Klimt, Le Baiser
Matisse, La Desserte rouge
Gandhi, L'Évangile de l'amour héroïque
Marinetti, Manifeste futuriste
1909   Schoenberg, Cinq pièces pour orchestre
Schoenberg, Trois pièces pour piano, op. 11
Schoenberg, Erwartung
Webern, Six pièces pour orchestre, op. 6
Webern, Cinq mouvements pour quatuor à cordes, op. 5
Robert Delaunay, La Tour (Eiffel) rouge
Larionov, Le Cochon bleu
Rilke, Les Cahiers de Malte Laurids Brigge
Roussel, Impressions d'Afrique
1910   Berg, Quatuor à cordes, op. 3
Stravinsky, L'Oiseau de feu
Braque, Violon et Cruche
le Douanier Rousseau, Le Rêve
**Kandinsky, Sans titre (première aquarelle abstraite, 1910-1913)*
Kandinsky, Murnau avec église II
Kupka, Plans par couleurs
Matisse, La Danse
Picasso, Portrait d'Ambroise Vollard
Schiele, Nu féminin sur couverture bariolée
1911   **Bartók, Le Château de Barbe-Bleue
Schoenberg, Gurre-Lieder
Stravinsky, Petrouchka
Braque, Composition au violon
Kandinsky, Lyrique
Larionov, Rayonnisme rouge
Franz Marc, Les Grands Chevaux bleus
Schiele, Autoportrait aux doigts écartés
1912   Busoni, Sonatina seconda
Debussy, Prélude à l'après-midi d'un faune
Janácek, Dans les brumes (pour piano)

Mahler, Symphonie n° 9

*Schoenberg, Pierrot lunaire

Balla, Chien en laisse

Balla, Fillette courant sur un balcon

Brancusi, Maiastra

Braque, Violon et Pipe

Robert Delaunay, Disque

Duchamp, Nu descendant un escalier n° 2

Juan Gris, Bouteilles et Couteau

Kandinsky, Avec l'arc noir

Meidner, Les Sinistrés (Apatrides)

Nolde, La Légende de sainte Marie l'Égyptienne

Picasso, Nature morte à la chaise cannée

Schiele, Arbre d'automne

André Bielyi, Pétersbourg

Freud, Introduction à la psychanalyse

Mann, Mort à Venise

Rilke, Élégies de Duino

Russell, Problèmes de philosophie

1913   *Ives, Quatuor n° 2 (1907–1913)

Scriabine, Sonate pour piano n° 10, op. 70

**Stravinsky, Le Sacre du printemps

Boccioni, Dynamisme d'un footballeur

Boccioni, Forme unique dans la continuité de l'espace

Braque, Compotier et Cartes

Braque, Le Petit Éclaireur

Chagall, Le Musicien

Chagall, Paris par la fenêtre

de Chirico, L'Énigme d'une journée

Duchamp, Roue de bicyclette (ready-made)

***Kandinsky, Ébauche n° 2 pour la Composition VII*

Kirchner, La Toilette (Femme au miroir)

Léger, Contraste de formes

***Matisse, L'Atelier rouge*

Meidner, La Ville en flammes

Meidner, Révolution

Picasso, Tête de jeune fille

Apollinaire, Alcools

Proust, À la recherche du temps perdu (1913-1927)

1914   Berg, Trois pièces pour orchestre, op. 6

Ives, Three Places in New England (1903-1914)

Ravel, Trio pour piano, violon et violoncelle

Chagall, Le Violoniste

**Delaunay, Hommage à Blériot*

de Chirico, Chant d'amour

de Chirico, Portrait de Guillaume Appolinaire

Kandinsky, Tableau à la tache rouge

Klee, Saint-Germain près de Tunis

Klimt, La Vie et la Mort (1908-1915)

Kokoschka, La Fiancée du vent

Léger, L'Escalier

Macke, Paysage tunisien

Malevitch, Le Garde

Matisse, Vue de Notre-Dame

Mondrian, Composition ovale

Severini, Train entre deux maisons

1915   Debussy, Sonate pour violoncelle et piano

**Kodály, Sonate pour violoncelle seul, op. 8*

Carlo Carrà, Manifestation interventionniste

Malevitch, Suprématisme. Rectangle noir, triangle bleu

Modigliani, Portrait de Paul Guillaume «Novo Pilota»

Maïakovski, Le Nuage en pantalon

1916   Ives, 4ᵉ Symphonie (1909-1916)

Arp, Tête de Tzara

            (La mise au tombeau des oiseaux et papillons)

Grosz, La Grande Ville

Matisse, La Leçon de piano

Malevitch, Suprématisme nᵒ 50

Wölfli, Salle de bal de saint Adolf

Dada

Kafka, La Métamorphose

Saussure, Cours de linguistique générale (1906-1911)

1917   *Bartók, Quatuor nᵒ 2*

Satie, Parade

Stravinsky, Les Noces (1915-1923)

Stravinsky, Histoire du soldat

**Duchamp, Fontaine
Modigliani, Le Grand Nu
Picabia, Parade amoureuse
Schiele, Femme allongée
Freud, Introduction à la psychanalyse

1918 *Beckmann, Résurrection*
Brancusi, Colonne sans fin
Malevitch, Carré blanc sur fond blanc
Planck, prix Nobel (pour la théorie des quanta)
Spengler, Le Déclin de l'Occident
Tzara, Manifeste Dada

1919 Bartók, Le Mandarin merveilleux
Beckmann, La Nuit
Ernst, Fruit d'une longue expérience
Juan Gris, Pierrot
***Raoul Hausmann, L'Esprit de notre temps*
            (Tête mécanique)
Itten, Carrés Chromatiques
Klee, Villa R.
Manifeste du groupe De Stilj

1920 **Ives, Concord Sonata (1911–1945)
Korngold, Die tote Stadt
*Milhaud, Le Bœuf sur le toit
**Satie, Socrate
Dix, Invalides de guerre jouant aux cartes
Duchamp & Picabia, L.H.O.O.Q.
Grosz, Sans titre (au mannequin et à la cheminée d'usine)
Gabo, Sculpture cinétique
Lissitzky, Proun 4B
Rodtchenko, Photomontage
**Schwitters, Mz 150. Oskar*
Tatlin, Monument pour la Troisième Internationale
            (Maquette)

1921 Honegger, Le Roi David
*Janácek, Journal d'un disparu
Janácek, Katia Kabanova
**Prokofiev, L'Amour des trois oranges
Zemlinsky, Le Nain

**Arp, Trousse de naufragé*
Braque, L'Homme à la guitare
Duchamp, Pourquoi ne pas éternuer?
Ernst, Œdipus Rex
Grosz, Jour gris
**Mondrian, Composition avec jaune, rouge et bleu*
          (Tableau n° 1)
Picabia, L'Œil cacodylate
Pirandello, Six personnages en quête d'auteur
Wittgenstein, Tractatus logico-philosophicus

1922   **Hindemith, Sonate pour alto seul op. 25 n° 1
Schulhoff, Partita pour piano
de Chirico, L'Enfant prodigue
Robert Delaunay, Manège de cochons
Kokoschka, Dresde-Neustadt
Miró, La Masia
Joyce, Ulysse

1923   *Hindemith, Quatuor à cordes, op. 32
Janácek, Quatuor à cordes n° 1 «Sonate à Kreutzer»
*Krenek, Quatuor à cordes n° 3, op. 20
*Schoenberg, Cinq pièces pour piano, op. 23
**Varèse, Hyperprisme
Zemlinsky, Lyrische Symphonie
Bonnard, La Côte d'Azur
**Duchamp, Le Grand Verre (La mariée mise à nu*
          par ses célibataires, même) (1912-1923)
Ernst, Sainte Cécile (le piano invisible)
Monet, Saule pleureur
Rivera, Fresques du ministère de l'Éducation à Mexico
Schwitters, Merzbau
Tzara, Cœur à gaz

1924   Antheil, Quatuor à cordes n° 1
**Janácek, Mládi (Jeunesse)
*Janácek, La Petite Renarde rusée
*Poulenc, Les Biches
Szymanowski, Le Roi Roger
Brancusi, Le Coq
Stuart Davis, Odol

Ernst, Deux enfants sont menacés par un rossignol
Léger, Les Éléments mécaniques
Miró, Le Catalan
Breton, Manifeste du surréalisme
Mann, La Montagne magique
Staline, Principes du léninisme

1925   *Antheil, Ballet mécanique (version originale)
**Berg, Wozzeck
*Busoni, Doktor Faust
*Janácek, L'Affaire Makropoulos
Schulhoff, Divertissement pour hautbois,
           clarinette et basson
**Varèse, Intégrales
Bonnard, Nu dans la baignoire
Brancusi, Le Baiser
Brancusi, L'Oiseau dans l'espace
         (une quinzaine de versions successives)
Hopper, La Maison le long de la voie ferrée
Kandinsky, Jaune, Rouge, Bleu
**Soutine, Le Bœuf écorché*
Artaud, L'Ombilic des limbes
Dewey, Experience and Nature
Dos Passos, Manhattan Transfer
Kafka, Le Procès

1926   *Bartók, En plein air
*Hindemith, Cardillac
*Janácek, Sinfonietta
Ernst, La Vierge corrigeant l'Enfant-Jésus…
Dix, Hugo Erfurth avec chien
**Klee, Villas florentines*
Kafka, Le Château

1927   *Bartók, Quatuor à cordes n° 3
Berg, Suite lyrique
*Hindemith, Sept musiques de chambre (1922-1927)
Krenek, Jonny spielt auf
Schoenberg, Quatuor à cordes n° 3, op. 30
Szymanowski, Quatuor n° 2, op. 56
Varèse, Arcana

**Webern, Trio à cordes, op. 20
Duchamp, Porte, 11, rue Larrey
Lipchitz, La Joie de vivre
Miró, Paysage au Coq
Freud, L'Avenir d'une illusion
Heidegger, Sein und Zeit
Reich, La Fonction de l'orgasme

1928   **Bartók, Quatuor n° 4
**Janácek, Quatuor à cordes n° 2 «Lettres intimes»
**Janácek, Souvenirs de la maison des morts
Schoenberg, Variations pour orchestre, op. 31
Webern, Symphonie pour ensemble de chambre, op. 21
Weill, L'Opéra de Quat'sous
***Dix, Metropolis*
**Grosz, L'Agitateur*
Tamara de Lempicka, Autoportrait
Miró, Intérieur hollandais
Tanguy, Sans titre (Les Profondeurs tacites)
Breton, Nadja
Lawrence, L'Amant de lady Chatterley

1929   **Schoenberg, Von heute auf morgen
*Schulhoff, Flammen (1927-1932)
Dali, Le Grand Masturbateur
***Klee, Routes principales et routes secondaires*
Kobro, Composition spatiale 4
***Magritte, La Trahison des images*
**Moore, Reclining Figure*
***Morandi, Nature morte*
Tanguy, À quatre heures d'été, l'espoir
Faulkner, Le Bruit et la Fureur

1930   Blacher, Quatuor à cordes n° 1
**Chostakovitch, Le Nez
*Copland, Variations pour piano
Lipchitz, Le Chant des voyelles
**Magritte, La Clef des Songes*
Magritte, Au seuil de la liberté
**Moholy-Nagy, Modulateur lumière-espace*
**Torrès-Garcia, Estructura en blanco*

Musil, L'Homme sans qualités
Ortega y Gasset, La Révolte des masses
1931   **Varèse, Ionisations
Dali, Persistence de la mémoire
Stuart Davis, House and Street
Kandinsky, À droite - À gauche
Pa Kin, Famille
Virginia Woolf, Les Vagues
1932   *Schoenberg, Moïse et Aaron
Dix, La Guerre
John Heartfield, Adolf le Surhomme :
        il avale de l'or et recrache du fer blanc
John Heartfield, Le Sens de Genève
Rivera, Detroit Industry, mur nord
Broch, Les Somnambules
Céline, Voyage au bout de la nuit
Trotski, La Révolution permanente
1933   Antheil, La Femme 100 têtes
*Hartmann, Quatuor à cordes n° 1 «Carillon»
Balthus, La Rue
**John Heartfield, La Justice*
Garcia Lorca, Noces de sang
1934   **Bartók, Quatuor à cordes n° 5
*Chostakovitch, Lady Macbeth du district de Mzensk
Prokofiev, Roméo et Juliette
Giacometti, Le Cube
Miller, Tropique du Cancer
Popper, La Logique de la découverte scientifique
1935   **Berg, Concerto pour violon
        «À la mémoire d'un ange»
**Berg, Lulu
Gershwin, Porgy and Bess
*Hartmann, Simplicius Simplicissimus
1936   Bartók, Musique pour cordes, percussion et célesta
**Schoenberg, Quatuor à cordes n° 4, op. 37
*Webern, Variations pour piano, op. 27
Meret Oppenheim, Le Déjeuner en fourrure
Husserl, La Crise des sciences européennes

Keynes, Théorie générale…

1937　　*Bartók, Mikrokosmos
　　　　*Bartók, Sonate pour deux piano et percussion
　　　　Beckmann, la Tentation de Saint Antoine
　　　　*Bonnard, Nu dans la baignoire
　　　　Klee, Port et Voiliers
　　　　**Picasso, Guernica
1938　　*Bartók, Contrastes
　　　　*Martinu, Juliette ou la clé des songes
　　　　**Webern, Quatuor à cordes, op. 28
　　　　Chagall, La Crucifixion blanche
　　　　Duchamp, La Boîte en valise
　　　　Gombrowicz, Ferdydurke
1939　　*Bartók, Quatuor à cordes n° 6
　　　　*Hindemith, Sonate en fa majeur pour alto et piano
　　　　Calder, Fishbones (mobile)
　　　　Calder, Four Leaves and Three Petals (mobile)
　　　　Léger, Composition aux deux perroquets
　　　　Sheeler, Suspended Power
　　　　Joyce, Finnegans Wake
　　　　Steinbeck, Les Raisins de la colère
1940　　*Blacher, Quatuor à cordes n° 2
　　　　Britten, Les Illuminations
　　　　**Webern, Variations pour orchestre, op. 30
　　　　Hopper, Office at Night
　　　　Matisse, La Blouse roumaine
　　　　Morandi, Nature morte avec bouteilles
1941　　*Krenek, Lamentatio Jeremiæ Prophetæ
　　　　*Messiaen, Quatuor pour la fin du temps
1942　　**Hindemith, Ludus Tonalis pour piano
　　　　Prokofiev, Sonate pour piano n° 7, op. 83
　　　　*Strauss, Capriccio
　　　　*Hopper, Oiseaux de nuit
　　　　Mondrian, Composition II avec bleu
　　　　Picasso, L'Aubade
　　　　Camus, L'Étranger
1943　　Bartók, Concerto pour orchestre
　　　　*Krenek, Sonate pour piano n° 3

Ullmann, Der Kaiser von Atlantis
Fautrier, Petit Otage n° 2
Arshile Gorky, Waterfall
Arshile Gorky, Jardin à Sochi
★*Lam, La Jungle*
★*Mondrian, Broadway Boogie-Woogie*
Pollock, Murale
Pollock, Les Gardiens du secret
Sartre, L'Être et le Néant

1944   ★★Bartók, Sonate pour violon solo
★Blacher, Quatuor à cordes n° 3
Krenek, Quatuor à cordes n° 7, op. 96
★Messiaen, Vingt regards sur l'Enfant-Jésus
★*Fautrier, Tête d'otage n° 22*
Hans Hofmann, Fertilité
Frida Kahlo, La Colonne brisée
Matta, Le Vertige d'Éros
★★*Mondrian, Victory Boogie-Woogie*
Wols, Peinture
Borges, Fictions

1945   Britten, Peter Grimes
Wols, Le Bateau ivre
Gabrielle Roy, Bonheur d'occasion

1946   Boulez, Première sonate pour piano
★Hartmann, Quatuor à cordes n° 2
★★Schoenberg, Trio à cordes, op. 45
★★Strauss, Métamorphoses
★*Bacon, Painting*
Wols, La Grenade bleue

1947   ★Poulenc, Les Mamelles de Tirésias
★*Giacometti, L'Homme qui marche*
Pollock, Reflet de la Grande Ourse
Camus, La Peste
Genet, Les Bonnes
Horkheimer & Adorno, Dialectique de la raison
Lowry, Sous le volcan
Vian, L'Écume des jours
Williams, Un tramway nommé désir

1948	Milton Babbitt, Trois Compositions (pour piano)
	*Boulez, Deuxième sonate pour piano
	*Carter, Sonate pour violoncelle et piano
	**Strauss, Quatre derniers Lieder
	Matisse, Chapelle de Vence
	Michaux, Sans titre (aquarelle)
	Sidney Nolan, Pretty Polly Mine
	Picasso, La Cuisine
	**Pollock, Tondo*
	*Rivera, Le Rêve d'un dimanche après-midi
	dans le parc de l'Alameda*
	Borduas, Refus global
	Teilhard de Chardin, Le Phénomène humain
1949	Barber, Sonate pour piano, op. 26
	**Cage, Sonates et Interludes pour piano préparé
	*Schoenberg, Fantaisie pour violon et piano, op. 47
	Borduas, Le Carnaval des objets délaissés
	Giacometti, La Clairière
	Riopelle, Cascade
	Beauvoir, Le Deuxième Sexe
	Ionesco, La Cantatrice chauve
	Miller, Sexus
	Orwell, 1984
	Pavese, Le Bel Été
1950	**Dubuffet, Gymnosophie*
	***de Kooning, Woman I*
	Poliakoff, Composition
	***Pollock, Autumn Rhythm*
	***Pollock, One (Number 31)*
	Vantongerloo, Formes et Couleurs dans l'espace
	Arendt, Les Origines du totalitarisme
	Fanon, Peau noire et masques blancs
	Neruda, Chant général
1951	**Cage, Music of Changes
	*Chostakovitch, 24 Préludes et Fugues
	Dali, Le Christ de Saint-Jean-de-la-Croix
	Picasso, Babouin et son petit
	**Rothko, Violet, Vert, Rouge*

David Smith, *Hudson River Landscape*
Salinger, L'Attrape-Cœur
1952 ★Boulez, Structures pour deux pianos, Livre I
★Barraqué, Sonate pour piano
Dallapiccola, Quaderno musicale di Annalibera
(pour piano)
Appel, Le Fantôme masqué
Balthus, La Chambre
Pollock, Convergence
de Staël, Le Lavandou
de Staël, Figure au bord de la mer
Nelligan, Poésies complètes (1896-1941)
1953 Stockhausen, Kontra-Punkte
★*Bacon, Le Pape Innocent X (d'après Velasquez)*
Giacometti, Diego
★*Hundertwasser, Le Sang qui coule autour et j'ai une bicyclette*
Matisse, Souvenir d'Océanie
Moore, Three Standing Figures
★★*Motherwell, Élégie à la République espagnole nº 34*
Larry Rivers, Washington Crossing Delaware
Beckett, En attendant Godot
1954 ★Lutoslawski, Concerto pour orchestre
★Stravinsky, Septuor
★Veress, Trio per archi
Stuart Davis, Midi
Jasper Johns, Drapeau
★*Matta, Le Prophéteur*
Moore, Forme intérieure et extérieure
Vieira da Silva, La Ville minérale
★*de Staël, Paysage de Sicile*
Réage, Histoire d'O.
Wiener, Cybernétique et Société
Williams, La Chatte sur un toit brûlant
1955 Maderna, Quatuor à cordes
★★Xenakis, Metastasis
Joseph Cornell, Veilleuses françaises
Jasper Johns, Target with Plaster Casts
Jasper Johns, White Flag

*Motherwell, *Élégie à la République espagnole n° 55*
Rauschenberg, Monogramme (1955-1959)
*Rothko, Earth and Green
de Staël, Bouteilles rouges
Tápies, Peintures n° XXVIII
Twombly, The Geeks
Aron, L'Opium des intellectuels
Lévi-Strauss, Tristes tropiques
Marcuse, Éros et Civilisation
Nabokov, Lolita

1956 *Nono, Il canto sospeso
  *Stockhausen, Klavierstücke I-XI (1952-1961)
  Xenakis, Pithoprakta
  Karel Appel, Portrait de W. Sandberg
  Hamilton, Just What Makes...
  George Tooker, Government Bureau
  Gauvreau, La Charge de l'orignal épormyable
  Mishima, Le Pavillon d'or

1957 Bernstein, West Side Story
  *Boulez, Troisième sonate pour piano
  Hindemith, Die Harmonie der Welt
  *Stravinsky, Agon
  **Stockhausen, Gruppen
  Takemitsu, Requiem
  Hepworth, Forme perforée (Tolède)
  Yves Klein, Monochrome bleu
  Rothko, Rouge, Blanc, Brun
  Calvino, Le Baron perché
  Kerouac, Sur la route

1958 Berio, Sequenza I
  *Cage, Concerto pour piano et orchestre
  Varèse, Poème électronique
  Bacon, Le Pape aux hiboux
  Helen Frankenthaler, Avant les grottes
  Piero Manzoni, Merda d'artista
  Rauschenberg, Illustration for Dante's Inferno, Canto II: The Descent
  Durrell, Le Quatuor d'Alexandrie (1957-1960)

1959	*Carter, Quatuor à cordes n° 2
	*Scelsi, Kya
	Scelsi, Quattro pezzi per orchestra (su una sola nota)
	Hundertwasser, Pénis de Kaaba
	Rauschenberg, Canyon
	Brecht, La Résistible Ascension d'Arturo Ui
	Burroughs, Le Festin nu
	Henri Lefebvre, La Somme et le Reste
1960	Berio, Circles
	*Chostakovitch, Quatuor à cordes n° 8
	*Penderecki, Thrène à la mémoire
	des victimes d'Hiroshima
	*Zimmermann, Sonate pour violoncelle seul
	Calder, Quatre systèmes rouges (mobile)
	César, Compressions de voitures
	Asger Jorn, Portrait de Gaston Bachelard
	Yves Klein, Anthropométries de l'époque bleue
	(Action-spectacle)
	Yves Klein, Relief-Éponge
	Ben Nicholson, Février 1959
	José Lezama Lima, Paradiso
	Moravia, L'Ennui
	Quine, Word and Object
1961	**Boulez, Structures pour deux pianos (Livre II)
	*Ligeti, Atmosphères
	*Nono, Intolleranza 1960
	**Scelsi, Trilogia (1957–1961)
	Karel Appel, Paysage
	Motherwell, Élégie à la République espagnole n° 70
	Barnett Newman, Shining forth (To George)
	Spoerri, Monsieur Bitos
	**Twombly, Ferragosto III*
	Twombly, The Italians
	Fanon, Les Damnés de la terre
	Galbraith, L'Ère de l'opulence
1962	Britten, War Requiem
	**Scelsi, Khoom (pour soprano et 6 instruments)
	Dubuffet, L'Hourloupe

César, Ricard («compression dirigée»)

*Twombly, Sans titre (Roma)

Twombly, Leda and the Swan

Burgess, Orange mécanique

Rachel Carson, Silent Spring

Kawabata, Kyoto

Kuhn, La Structure des révolutions scientifiques

Doris Lessing, Le Carnet d'or

McLuhan, La Galaxie Gutenberg

Mahfouz, Passage des miracles

Soljenitsyne, Une journée d'Ivan Denissovitch

1963   Boulez, Figures, Doubles, Prismes (1957-1968)

*Pierre Henry, Variations pour une Porte et un Soupir

Beuys, Chaise de graisse

Dubuffet, Houle du virtuel

Fontana, Concetto spaziale

Tápies, Relief gris en quatre parties

Warhol, Twenty Marilyn

Wesselmann, Baignoire n°3

Cortazar, Marelle

1964   *Crumb, Four Nocturnes (Night Music II)

*Lutoslawski, Quatuor à cordes

Nono, La fabbrica illuminata

*Scelsi, Quatuor à cordes n° 4

**Stockhausen, Momente (1962-64/69)

*Dubuffet, Trotte la Houle

Dan Flavin, Hommage à Tatlin

Hans Haacke, Cube de condensation

Maciunas, One for Violin Solo (Fluxhall, N.Y.)

Stella, Mas o menos

Tinguely, Eurêka

Twombly, Sans titre

Vedova, Plurimo n° 4 (Journal absurde de Berlin)

Sartre, Les Mots

1965   Berio, Laborintus II

Carter, Concerto pour piano et orchestre

Dutilleux, Métaboles

Ligeti, Requiem

*Scelsi, Anahit. Poème lyrique dédié à Vénus
*Zimmermann, Die Soldaten
Dumouchel, Vive la Saint-Jean
Kienholz, The Beanery
**Kosuth, One and Three Chairs*
Lichtenstein, M-Maybe...
Rauschenberg, L'Oracle
Larry Rivers, History of the Russian Revolution
Tinguely, Machine à disséquer
Villeglé, AP 16 – rue Saint-Sauveur
Aquin, Prochain épisode
Mao Zedong, Le Petit Livre rouge

1966   Veress, Musica Concertante
*Xenakis, Nomos Alpha pour violoncelle seul
Xenakis, Oresteïa (1966-1987)
Duchamp, Étant donnés... (1946-66)
*Duane Hanson, Supermarket Lady (Femme avec caddie)
Gerhard Richter, Emma – Nu dans un escalier
Trudeau, L'Œuf cosmique
Boulgakov, Le Maître et la Marguerite
Ducharme, L'Avalée des avalés

1967   *Blacher, Quatuor à cordes n° 5
Pierre Henry, Messe pour le temps présent
*Holliger, Siebengesang
**Ligeti, Lontano
*Musica Electronica Viva, Spacecraft
*Takemitsu, November Steps
Beuys, Infiltration homogen für Cello
Caro, The Window
de Kooning, Man
**Motherwell, Élégie à la République espagnole n°108*
Tinguely, Rotozaza n° 1
**Twombly, Sans titre (gris et blanc)*
Bernhard, Perturbation
Chomsky, Le Langage et la Pensée
Debord, La Société du spectacle
Kundera, La Plaisanterie
Garcia Marquez, Cent ans de solitude

1968	Berio, Sinfonia
	Henze, Le Radeau de la Méduse
	*Ligeti, Quatuor à cordes n° 2
	Penderecki, Quatuor à cordes n° 2
	Kienholz, The Portable War Memorial
	Kowalski, Là-bas
	Mario Merz, Igloo de Giap
	Pistoletto, Mur de chiffons
	Segal, Homme qui marche
	Tremblay, Les Belles-Sœurs
	Vallières, Nègres blancs d'Amérique
1969	*Luc Ferrari, Presque Rien
	Henze, Symphonie n° 6
	*Maderna, Hyperion
	**Zimmermann, Requiem pour un jeune poète
	Carl Andre, Surface de zinc et de magnésium
	Beuys, The Pack (La Horde)
	Asger Jorn, L'Offre et la Demande
	Kowalski, Xyz
	Lemoyne, Amerik
	Tápies, Paille pressée
	Twombly, Bolsena
	Deleuze, L'Anti-Œdipe
	Iris Murdoch, Le Rêve de Bruno
1970	*Crumb, Black Angels (In tempore belli).
	Thirteen Images From the Dark Land
	(pour quatuor à cordes)
	Dutilleux, Tout un monde lointain…
	Ligeti, Concerto de chambre pour 13 instruments
	Reich, Drumming
	*Stockhausen, Mantra
	*Xenakis, Hibiki-Hana-Ma
	Beuys, Filzanzug
	Smithson, Spiral Jetty
	Miron, L'Homme rapaillé
1971	*François Bayle, La Langue inconnue
	Feldman, The Rothko Chapel
	Maderna, Pièce pour Ivry (pour violon seul)

Bacon, *Painting 1946 (deuxième version)*
Ben, *Je doute*
De Maria, *Champ de foudre*
Nam June Paik, *TV Violoncello*
Bruce Nauman, *Green Light Corridor*
Stella, *Parzeczew II*
Gutiérrez, Théologie de la libération
Joyce Carol Oates, Le Pays des merveilles
Rawls, Théorie de la justice

1972 ★Crumb, Makrokosmos I
Maderna, Biogramma
★Nono, Como una ola de fuerza y luz
Scelsi, Les Chants du Capricorne (1962-1972)
Beuys, Combat de boxe pour la démocratie directe
Beuys, La rivoluzione siamo Noi
Oldenburg, « Ghost » Drum Set
Picasso, Paysage (Mougins, 31 mars)
Bouthillette, Le Canadien français et son double
Lovelock, Gaïa

1973 Henze, Stimmen (Voix)
★Takemitsu, In an Autumn Garden
Max Bill, Double surface dans l'espace avec deux limites
Nam June Paik, Global Groove
Gina Pane, Action sentimentale
Spadari, Die rote Fahne
Lorenz, L'Envers du miroir
Soljenitsyne, L'Archipel du Goulag (1973-1976)

1974 Milton Babbitt, Reflections (pour piano avec bande
magnétique et synthétiseur)
★Cage, Études australes
★Chostakovitch, Quatuor à cordes n° 15
★★Crumb, Music for a Summer Evening
(Makrokosmos III)
Rzewski, 36 Variations sur «¡El Pueblo Unido
Jamás Será Vencido!»
★Beuys, Coyote : I Like America and America Likes Me
Erró, Fishscape
Motherwell, Élégie à la République espagnole n° 134

Nam June Paik, TV Buddha
Gina Pane, Psyche (performance)
Tápies, Collage au ruban blanc
Twombly, Turn and Coda
Elsa Morante, La Storia
Nozick, Anarchie, État et Utopie

1975   ★Chostakovitch, Sonate pour alto et piano, op. 147
★★Nono, Al gran sole carico d'amore
Marcel Broodthaers, La Salle blanche
Chuck Close, Linda

1976   ★Berio, Coro
Crumb, Dream Sequence (Images II)
Dutilleux, Quatuor à cordes «Ainsi la nuit»
Glass, Einstein on the Beach
Henze, Quatuor à cordes n° 3
★★Reich, Music for Eighteen Musicians
Christo, Running Fence

1977   Boulez, Notations I-IV (1945-1980)
★Feldman, Neither
Holliger, Come and Go
Parmegiani, Dedans-Dehors
Pärt, Tabula Rasa
Vivier, Shiraz
Vivier, Love Songs
de Kooning, Porch in a Landscape

1978   Dutilleux, Timbres, Espace, Mouvement
                 ou «La Nuit étoilée»
★★Ligeti, Le Grand Macabre
★Schnittke, Sonate pour violoncelle et piano
Perec, La Vie mode d'emploi

1979   ★Alvin Lucier, Music on a Long Wire
Beuys, Art & Capital
Judy Chicago, The Dinner Party
Stella, Kastura
Bourdieu, La Distinction
Hans Jonas, Le Principe responsabilité

1980   ★★Carter, Night Fantasies
Dhomont, Sous le regard d'un soleil noir

*Donatoni, L'ultima sera
*Gubaidulina, Offertorium
Kurtág, Messages de feu Demoiselle R.V. Troussova,
op. 17
*Nono, Quatuor à cordes Fragmente-Stille
Vivier, Zipangu
**Beuys, Wirtschaftswerte
Judy Pfaff, Deep Water (installation)

1981 Crumb, Gnomic Variations (pour piano)
*Holliger, Trema
Kagel, Aus Deutschland
**Krenek, Quatuor à cordes n° 8, op. 233
*Stockhausen, Donnerstag aus Licht
Baselitz, Les Filles d'Olmo II
Basquiat, Pater
Deroin, Oxaca
**Julian Schnabel, Portrait de Dieu
*Cindy Sherman, Sans titre (avec téléphone)
Vieira da Silva, Espace en suspens
Warhol, Dollar Sign

1982 *Boulez, Pli selon pli (1957–1989)
*Cage, Roaratorio – An Irish Circus
on "Finnegans Wake"
*Reich, Tehillim
Beuys, 7000 Chênes
Luciano Castelli, Dschungel Love
Betty Goodwin, Sans titre n° 1 (série Swimmer)
Jörg Immendorf, Café Deutschland - Schwarzer Stern
Komar & Melamid, «J'ai vu Staline une fois
quand j'étais petit»

1983 **Berio, Un Re in ascolto
**Carter, Triple Duo
*Messiaen, Saint François d'Assise
**Schnittke, Quatuor à cordes n° 3
Baselitz, Veronika
Komar & Melamid, Stroke (circa 3-03-1953)
*Komar & Melamid, L'Origine du réalisme socialiste
Motherwell, The Hollowmen (From T.S. Eliot)

Polke, Paganini
Paula Rego, Aida
1984   *Berio, Voci (Folk Songs II)
Cage, 30 Pieces For String Quartet
*Holliger, Scardanelli-Zyklus (1975-1991)
Basquiat, Zydeco
Basquiat, Pakiderm
Tony Cragg, Mesozoic
Morellet, Géométree n° 85
Nam June Paik, Tricolor Video
Hermann Nitsch, 80th Action, Prinzendorf
Serra, Clara-Clara
Vieira da Silva, Dialogue sur l'existence
Kundera, L'Insoutenable Légèreté de l'être
1985   Krenek, Trio à cordes en douze stations, op. 237
**Lutoslawski, Chain II
Beuys, Plight (piano et rouleaux de feutres) (1958-85)
Christo, Emballage du Pont-Neuf à Paris
Dimitrievic, Triptychos Post Historicus
**Hans Haacke, MetroMobiltan*
**Hundertwasser, Hundertwasser-Haus (Vienne)*
Jörg Immendorf, La Marmite
**Anselm Kiefer, Grande Prêtresse*
Mario Merz, Noi giriamo intorno alle case
            o le case girano intorno a noi?
Le Clézio, Le Chercheur d'or
1986   Carter, Concerto pour hautbois
*Feldman, Coptic Light
**Globokar, Les Émigrés
Ligeti, Études pour piano (Livre 1 & 2, 1985-1993)
Buren, Le Double Plateau («colonnes» du Palais-Royal
            à Paris)
Jeff Koons, Travel Bar
1987   Adams, Nixon in China
**Adriana Hölszky, Bremer Freiheit
Kagel, Quatuor à cordes n° 3
*Nono, Prometeo (Tragedia dell'ascolto)

Kaija Saariaho, Nymphea (Jardin secret III)
  pour quatuor à cordes et électronique
*Schnittke, Sonate n° 2 pour violon et piano
  « Quasi una sonata »
*Baselitz, Autoportrait désastre
Baselitz, Sans titre
*Boltanski, Chases High School (Promotion '31)
Di Rosa, Buste du pauvre
Eric Fischl, Life of Pigeons
Jenny Holzer, « Protect Me From What I Want »
  (Survival Series)
*Anselm Kiefer, Osiris and Isis
Richard Wilson, 20/50

1988   *Cage, Music for Four
**Crumb, Zeitgeist
*Nono, La lontananza nostalgica utopica futura
Holliger, What Where
Krenek, Sonate pour piano n° 7, op. 240
Boetti, Sans titre (avec Elvis)
Ilya Kabakov, The Man Who Flew into Space
  from His Apartment
Jeff Koons, Michael Jackson and Bubbles
*Jeff Koons, Pink Panther
**Nam Jun Paik, Beuys
Rushdie, Les Versets sataniques

1989   Dhomont, Chroniques de la lumière
Kurtág, Officium Breve
**Schnittke, Quatuor à cordes n° 4
*Boltanski, Sans titre (boîtes à biscuit, lampes et photographies)
**Boltanski, Monument Odessa
Louise Bourgeois, Sans titre (avec pied)
Geneviève Cadieux, L'Inconstance du désir
Anish Kapoor, Void Field
Nam June Paik, Robespierre
*Jean Rustin, Femme mettant sa main dans la bouche
  d'un homme

1990   *Berio, Continuo
Ferneyhough, Quatuor à cordes n° 4

Satoh, Ruika
Geneviève Cadieux, La Fêlure, au chœur des corps
**Ilya Kabakov, He Lost His Mind, Undressed...*
Tinguely, Trophée de Chasse-Le-Golem
Vostell, Le Cri
Pamuk, Le Livre noir
Taylor, Le Malaise de la modernité

1991   Kurtág, Samuel Beckett – What Is the Word
*Aribert Reimann, Le Château
Geneviève Cadieux, Portrait de famille
Christo, The Umbrellas Japan-USA 1984-91
Mark Dion, Polar Bears and Toucans
Antony Gormley, Field
*Damien Hirst, L'Impossibilité physique de la mort
       dans l'esprit de quelqu'un qui vit*
Kiefer, Liliths Töchter
Kiefer, Das Grab in den Luften
*Kosuth, Ex Libris – J.-F. Champollion (Figeac, France)
*Gabriel Orozco, Crazy Tourist

1992   *Boulez, Répons
Cage, Thirteen
Dusapin, Quatuor III
**Dusapin, Medeamaterial
Rihm, «Gesungene Zeit» (pour violon et orchestre)
*Saariaho, Amers
**Saariaho, Près
**Schnittke, La Vie avec un idiot
Ilya Kabakov, Incident at the Museum of Water Music
Annette Lemieux, Hobo Jungle
Charles Ray, Oh ! Charley, Charley, Charley...
Serrano, La Morgue
Viola, Prier sans s'arrêter

1993   *Reich, The Cave
**Hans Zender, Schuberts «Winterreise»,
       Eine komponierte Interpretation
Louise Bourgeois, Cell (Arch of Hysteria) (1989-93)
Hans Haacke, Germania
Nam June Paik, Chong, Yak Yong

Cindy Sherman, Sans titre (avec mannequins)
Velickovic, À terre, fig. III
Vostell, Sara-Jevo
1994   **Dusapin, To Be Sung
        **Kurtág, Stele
        **Saariaho, Graal théâtre
        Katharina Fritsch, Rattenkönig
        Mario Merz, Lieu sans rue
        John McDowell, Mind and World
1995   *Carter, Quatuor à cordes n° 5
        Cerha, Huit mouvements pour sextuor à cordes
                sur des fragments de Hölderlin
        **Reich, City Life
        *Tracey Emin, Everyone I Have Ever Slept With
                1963/1995*
        Felix Gonzales-Torres, Sans titre (America)
        Kounellis, Installation au Château de Plieux
        Mario Merz, Itinere
        Elizabeth Peyton, Jake Chapman
        Tinguely, Le Cyclop (1985-94)
1996   Gubaidulina, Concerto pour alto
        Pierre Henry, Intérieur/Extérieur
        Vanessa Beecroft, Performance
        Maurizio Cattelan, La Bataille de Trotski
        Jake & Dinos Chapman, Chapmanworld
        Di Suvero, Pour le poète inconnu
        Dan Peterman, 4 Ton Vertical Storage
        **Jason Rhoades, Uno momento/the theatre in my dick/
                a look to the physical/ephemeral*
1997   *Boulez, Sur Incises
        **Carter, Quintette pour piano et cordes
        *Manoury, 60e Parallèle
        **Damien Hirst, Politics and Power*
        Mariko Mori, Mirage
        Fabrizio Plessi, Roma (installation)
1998   **Berio, Sequenzas I-XIII (1958-1997)
        **Eötvös, Trois Sœurs
        **Kyburz, Malstrom

Yinka Shonibare, Diary of a Victorian Dandy, 14:00 hrs
Castells, Fin de millénaire

1999   **Holliger, Schneewittchen
*Matthias Pintscher, Sur «Départ»
*Gilles Barbier, The Doctor's Secret Experience
Jessica Stockholder, Installation
Wenda Gu, Nations Unies, Section italienne:
            Dieu et Enfants
*Wes Mills, Duchamp

2000   *Dusapin, Sept études pour piano (1997-2001)

2001   *Carter, Quatuor avec hautbois
Matthias Pintscher, Janusgesicht
*Wolfgang Rihm, Jagden und Formen (1995-2001)

2002   **Dusapin, À quia (concerto pour piano et orchestre)

ŒUVRES DE LAURENT–MICHEL VACHER

Pamphlet sur la situation des arts au Québec, L'aurore, 1975

Pour un matérialisme vulgaire, Les herbes rouges, 1984

L'empire du moderne, Les herbes rouges, 1989

Un Canabec libre. L'illusion souverainiste, Liber, 1991

Entretiens avec Mario Bunge. Une philosophie pour l'âge de la science, «de vive voix», Liber, 1993

Histoire d'idées. À l'usage des cégépiens et autres apprentis de tout poil, jeunes ou vieux, Liber, 1994 (deuxième édition, 2000)

Cinq intellectuels sur la place publique, Louis Cornellier (dir.), avec Roch Côté, Pierre Falardeau, Pierre Milot, Jacques Pelletier, Liber, 1995

Découvrons la philosophie avec François Hertel, Liber, 1995

Dialogues en ruine, Liber, 1996

La passion du réel. La philosophie devant les sciences, Liber, 1998

La science par ceux qui la font. Dix entretiens sur les connaissances actuelles, Liber, 1998

Une triste histoire et autres petits écrits politiques, Liber, 2001

Débats philosophiques. Une initiation, avec Jean-Claude Martin et Marie-José Daoust, Liber, 2002

Pratiques de la pensée. Philosophie et enseignement de la philosophie au cégep, avec Pierre Bertrand, Robert Hébert, Jacques Marchand, Michel Métayer, Liber, 2002

Le crépuscule d'une idole. Nietzsche et la pensée fasciste, Liber, 2004

Bars, cafés, restos. Scènes de la vie urbaine. Entretiens avec les frères Holder, Liber, 2005

Également traducteur de Mario Bunge, *Philosophy in Crisis* (*Matérialisme et humanisme. Pour surmonter la crise de la pensée*, Liber, 2004)

TABLE DES MATIÈRES

Éditions Liber, 2318, rue Bélanger, Montréal, Québec, Canada, H2G 1C8 ;
téléphone : (514) 522-3227 ; télécopie : (514) 522-2007 ; courriel : info@
editionsliber.org ; site : www.editionsliber.org

Distribution
Canada : Diffusion Dimedia, 539, boulevard Lebeau, Montréal, Québec, H4N 1S2 ;
téléphone : (514) 336-3941 ; télécopie : (514) 331-3916 ; courriel : general@
dimedia.qc.ca
France et Belgique : DNM, Diffusion du nouveau monde, 30, rue Gay-Lussac,
75005 Paris ; téléphone : (01) 43 54 49 02 ; télécopie : (01) 43 54 39 15 ; courriel :
liquebec@noos.fr
Suisse : Servidis, 5, rue des Chaudronniers, C. P. 3663, CH-1211 Genève 3 ;
téléphone : (022) 960-9510 ; télécopie : (022) 960-9525 ; courriel : admin@
servidis.ch

Achevé d'imprimer en août 2005
sur les presses de Marc Veilleux imprimeur
Boucherville, Québec